강력한 성신여대
자연계 수리논술 기출문제

저자 소개

저자 김근현은 현재 탁트인 교육, 일으킨 바람, 에듀코어 대표이다.

前 메가스터디 온라인에서 대입 논술과 면접, 자기소개서, 학생부종합 등 다양한 동영상 강의를 하였다.

현재는 학습 프로그램 개발 및 연구 활동을 통해 교육의 발전을 고민하고 있다.

홍익대학교에서 전자전기공학부를 졸업하고 동대학원에서 전자공학 석사(반도체 레이저)를 전공하였다. 또한 연세대학교 교육경영최고위자 과정을 마쳤으며 연세대학교 교육대학원에서 평생교육 경영을 공부하고 있다.

강력한 성신여대 자연계 수리논술 기출문제

발   행 | 2024년 05월17일
저   자 | 김근현
펴낸이 | 김근현
펴낸곳 | 일으킨 바람
출판사등록 | 2018.11.12.(제2018-000186호)
주   소 | 경기도 고양시 일산서구 하이파크 3로 61 409동 1503호
전   화 | 031-713-7925
이메일 | ileukinbaram@gmail.com

ISBN | 979-11-93208-63-2

www.iluekinbaram.com
ⓒ 김 근 현 2023

강력한 성신여대

자연계 수리논술

기출문제

김근현 지음

차례

I. 성신여대학교 논술 전형 분석

1. 논술 전형 분석

1) 전형 요소별 반영 비율

전형요소	논술	학교생활기록부 (교과 90%+ 출결10%)	총합
논술고사	90%	10%	100%

2) 학교생활기록부 반영

10%

(ㄱ) 반영교과 및 반영비율

● 계열 구분 없이 국어, 수학, 영어, 과학 반영

● 학년별 가중치 없음, 교과별 가중치 없음

● 비교과 영역은 출결만 반영

대 상	인정범위	반영 교과
졸업예정자	1학년 1학기 ~ 3학년 1학기	국어, 영어, 수학, 사회

(ㄴ) 공통과목 및 일반선택과목

구분	등급	1등급	2등급	3등급	4등급	5등급	6등급	7등급	8등급	9등급
변환점수		100	99	98	96	95	92	90	70	50

(ㄷ) 진로선택과목

성취도	A	B	C
석차등급	1	25	4

(ㄹ) 석차등급 환산 평균

$$석차등급\ 환산\ 점수 = \frac{\sum(등급\ 점수 \times 이수단위)}{\sum(이수단위)}$$

(ㅁ) 교과성적 반영 점수

$$교과성적 = 석차등급\ 환산평균 \times 0.9\,(상수)$$

(ㅂ) 출석성적 반영방법 점수

등급	1등급	2등급	3등급	4등급	5등급	6등급	7등급	8등급	9등급
결석일수	0~1	2~4	5~7	8~9	11~13	14~16	17~19	20~22	23 이상
출석성적	10.0	9.9	9.8	9.7	9.6	9.5	9.4	9.2	9.0

● 미인정에 의한 결석, 지각, 조퇴, 결과만을 반영하며 지각·조퇴·결과 3회 시 결석 1일로 처리

3) 수능 최저학력 기준

국어, 수학, 영어, 탐구(사회/과학탐구 중 1과목) 중 *2개 영역* 등급의 *합 7* 이내

ㆍ(제2외국어/한문은 탐구 대체 불가)

4) 논술 전형 결과

(ㄱ)   2023학년도 논술 전형 결과

단과대학	모집단위	모집 인원	지원 자수	경쟁률	실질 경쟁률	추가 합격 인원	논술고사 (70점 만점)		학생부 (30점 만점)		최종 등록자 총점평균 (100점 만점)
							논술 평균 점수	논술 평균 등급	학생부 평균 점수	학생부 평균 등급	
자연과학 대학	수리통계데이터 사이언스학부 (수학/핀테크)	5	39	7.80	5.40	1	65.29	2.46	28.45	4.47	93.74
	수리통계데이터 사이스학부 (통계학/ 빅데이터 사이언스)	6	59	9.83	7.17	6	63.82	2.87	28.79	4.13	92.60
	화학·에너지 융합학부	6	57	9.50	6.00	3	63.68	2.94	28.99	3.91	92.67
지식 서비스 공과대학	서비스·디자인 공학과	5	57	11.40	8.40	1	64.14	2.8	28.92	4.04	93.05
	융합보안공학과	11	134	12.18	8.45	2	63.87	2.85	28.67	4.31	92.53
	컴퓨터공학과	3	36	12.00	9.00	2	62.45	3.22	28.74	4.10	91.18
	청정융합에너지 공학과	5	55	11.00	6.20	4	61.78	3.37	28.54	4.67	90.32
	바이오식품 공학과	4	40	10.00	7.50	1	61.83	3.36	28.90	4.05	90.74
	바이오생명 공학과	5	72	14.40	10.00	3	63.25	3.01	28.65	4.12	91.91
	AI 융합학부	16	232	14.50	10.31	16	63.78	2.88	28.60	4.31	92.39
간호대학	간호학과	6	199	33.17	22.50	3	65.83	2.3	29.06	3.73	94.89
Health & Wellness College	바이오신약 의과학부	5	89	17.80	13.20	1	65	2.55	29.00	3.82	94.00
	바이오헬스 융합학부	5	65	13.00	7.00	1	63.81	2.86	28.64	4.48	92.45

(ㄴ) 2022학년도 논술 전형 결과

단과대학	모집단위	모집 인원	지원 자수	경쟁률	실질 경쟁률	추가 합격 인원	논술고사 (70점 만점)		학생부 (30점 만점)		최종 등록자 총점평균 (100점)
							논술 평균 점수	논술 평균 등급	학생부 평균 점수	학생부 평균 등급	
자연과학 대학	수리통계 데이터 사이언스학부 (수학/핀테크)	6	50	8.33	5.33	1	63.1	3.02	29.17	3.50	92.26
	수리통계 데이터 사이스학부 (통계학/ 빅데이터 사이언스)	6	64	10.67	8.17	4	62.46	3.2	28.81	4.22	91,27
	화학·에너지 융합학부	6	71	11.83	7.33	2	60.24	3.69	28.99	3.91	89.23
지식 서비스 공과대학	서비스·디자인 공학과	6	58	9.67	6.83	1	59.91	3.74	28.60	4.64	88,50
	융합보안공학과	6	67	11.17	6.83	2	61.01	3.5	28.95	4.03	89.96
	컴퓨터공학과	4	51	12.75	9.25	3	61.12	3.51	28.66	4.24	89.78
	청정융합에너지 공학과	5	51	10.20	7.40	2	61.34	3.46	28.20	5.25	89.54
	바이오식품 공학과	4	43	10.75	7.00	3	60.88	3.56	28.84	4.21	89.72
	바이오생명 공학과	6	84	14.00	9.33	1	62.04	3.3	28.95	3.95	90.98
	AI 융합학부	16	219	13.69	9.88	10	60.71	3.58	28.77	4.44	89.47
간호대학	간호학과	7	226	32.29	25.29	2	64.9	2.58	28.99	4.00	93,89
Health & Wellness College	바이오신약 의과학부	6	96	16.00	11.50	1	61.27	3.47	28.57	4.66	89.84
	바이오헬스 융합학부	5	44	8.80	4.60	3	57.34	4.2	28.61	4.72	85.95

(ㄷ) 2021학년도 논술 전형 결과

단과대학	모집단위	모집인원	지원자수	경쟁률	실질경쟁률	추가합격인원	논술고사 (70점 만점)		학생부 (30점 만점)		최종등록자 총점평균 (100점 만점)
							논술평균점수	논술평균등급	학생부평균점수	학생부평균등급	
자연과학대학	수리통계데이터사이언스학부 (수학/핀테크)	4	41	10.25	6.25	1	64.97	2.56	29.09	3.66	94.06
	수리통계데이터사이스학부 (통계학/빅데이터사이언스)	2	18	9.00	6.00	1	63.85	2.91	28.49	4.83	92.34
	화학·에너지융합학부	7	72	10.29	5.29	7	65.56	2.38	28.56	4.67	94.11
지식서비스공과대학	서비스·디자인공학과	7	79	11.29	5.29	2	64.1	2.80	28.48	4.73	92.58
	융합보안공학과	6	66	11.00	4.67	0	65.29	2.46	28.67	4.38	93.96
	컴퓨터공학과	11	148	13.45	6.27	2	64.33	2.74	28.55	4.43	92.88
	청정융합에너지공학과	6	79	13.17	7.17	3	66.52	2.08	28.29	4.78	94.81
	바이오식품공학과	7	80	11.43	5.57	4	65.23	2.46	28.57	4.50	93.80
	바이오생명공학과	5	67	13.40	7.00	0	66.4	2.12	28.66	4.63	95.06
	AI 융합학부	8	105	13.13	7.13	5	63.54	2.95	28.53	4.64	92.07
간호대학	간호학과	23	316	13.74	7.57	15	65.3	2.45	28.78	4.17	94.08
Health & Wellness College	바이오신약의과학부	7	212	30.29	19.43	2	68.18	1.57	28.81	4.13	96.98
	바이오헬스융합학부	3	31	10.33	5.67	0	60.42	3.65	28.79	4.30	89.21

1) 실질경쟁률 = 논술 응시자 중 수능최저기준 충족자 / 모집 인원
2) 합격자 수, 논술평균점수 및 등급, 학생부평균 점수 및 등급은 최종등록자의 통계

1. 논술 분석

구분	인문계열
출제 근거	고교 교육과정 내 출제
출제 범위	수학, 수학Ⅰ, 수학Ⅱ, 미적분 (**확률과 통계, 기하 출제범위 제외**)
논술유형	자연계열 수리논술
문항 수	4문항 (각 문항은 2~4개의 하위 문제 포함)
답안지 형식	글자수 제한 없음, 지정된 답안지 서식 내 작성
고사 시간	100분

1) 출제 구분 : 계열 구분
2) 출제 유형 :

● 제시된 문제에 대한 답안과 그 풀이과정을 요구하는 수리논술

3) 출제 및 평가내용 :

● 단순 암기나 전공지식이 아닌 지원자의 고등학교 교육과정에 대한 이해도를 평가
● 고등학교 수학 교과의 교육과정과 성취기준 내에서 수학의 기초원리에 대한 이해도와 응용력을 평가

2. 출제 문항 수

구분	인문계
문항수	4문항 이내(각 문항은 2~4개의 하위 문제 포함)

3. 시험 시간

· **100분**

4. 논술 유의사항

1) 논술고사 유의사항

가. 고사시간 : 100분

나. 고사장 발표 시 본인의 입실 시간과 장소를 반드시 확인 바랍니다.

다. 수험생은 신분증(주민등록증, 운전면허증, 기간만료 전 여권 등)을 반드시 지참해야 합니다.

라. 답안은 **검은색 볼펜**으로만 작성 가능하며(**연필 사용 불가**), 컴퓨터용 사인펜 등 필기구는 개별 준비해야 합니다.

마. 모집단위(학과)별 수능 최저학력기준 및 논술고사 계열에 따라 다름

바. 기타 세부 유의사항은 고사장 발표 시 공지되는 「수험생 유의사항」 내용을 반드시 확인하시기 바랍니다

2) 답안 작성 시 유의 사항

1. 답안지는 지급된 흑색 볼펜으로 작성하여야 합니다.

(수정액 및 수정테이프 사용 금지)

2. 수험번호와 생년월일을 숫자로 쓰고 컴퓨터용 사인펜으로 ● 표기하여야 합니다.

3. 답안의 작성 영역을 벗어나지 않도록 각별히 유의 바라며, 인적사항 및 답안과 관계없는 표기를 하는 경우 결격 처리 될 수 있습니다.

4. 제시된 작성 분량 미 준수 시 감점 처리됨을 유의 바랍니다.

II. 기출문제 분석

1. 출제 경향

학년도	교과목	질문 및 주제
2024학년도 수시 논술	수학 Ⅱ	다항함수의 접선의 방정식, 그래프의 개형
	수학 Ⅰ, 수학 Ⅱ, 미적분	삼각형의 넓이, 함수의 연속, 최대, 극대, 등비급수
	수학 Ⅰ, 미적분	삼각함수의 극한, 무한급수
	수학 Ⅱ, 미적분	롤의 정리, 부분적분법
2024학년도 모의 논술	수학 Ⅱ, 미적분	연속함수의 성질, 함수의 증가와 감소, 극대와 극소, 지수함수와 로그함수의 미분, 음함수와 역함수의 미분, 방정식과 부등식
	수학, 미적분	원의 방정식, 수열의 극한, 삼각함수의 덧셈정리, 음함수와 역함수의 미분, 접선의 방정식
	수학 Ⅱ, 미적분	함수의 극한, 함수의 연속, 미분계수, 지수함수와 로그함수의 미분, 함수의 몫을 미분,
	미적분	지수함수와 로그함수의 미분, 이계도함수 함수의 그래프 개형, 부정적분과 정적분, 곡선으로 둘러싸인 도형의 넓이
2023학년도 수시 논술	수학 Ⅱ	다항함수의 도함수, 평균값 정리, 정적분
	미적분	수열의 극한, 급수, 여러 가지 적분법
	수학 Ⅰ, 미적분	삼각함수, 여러 가지 미분법
	수학, 확률과 통계	경우의 수, 합의 법칙, 곱의 법칙, 순열, 조합, 중복순열
2023학년도 모의 논술	수학 Ⅱ	미분가능성과 연속성, 함수 그래프의 개형, 곡선으로 둘러싸인 도형의 넓이
	수학 Ⅰ, 미적분	지수함수와 직선의 교점 및 부등식, 주어진 좌표값을 통한 삼각형의 넓이, 수열의 극한,
	수학 Ⅰ, 미적분	피타고라스 정리를 이용한 도형의 넓이, 원에 내접하는 도형의 기하학적 성질, 등비수열, 일반항, 등비수열의 합, 등비급수
	수학	경우의 수에서 합의 법칙, 곱의 법칙, 순열과 조합

학년도	교과목	질문 및 주제
2022년도 수시 논술	수학 Ⅱ, 미적분	함수의 극한, 함수의 연속, 도함수의 활용
	수학 Ⅰ, 수학 Ⅱ, 미적분	삼각함수, 정적분의 뜻, 여러 가지 적분법, 급수
	수학, 수학 Ⅰ, 수학 Ⅱ	원의 방정식, 삼각함수, 정적분의 활용
	확률과 통계	확률, 이산확률변수의 기댓값과 표준편차
2022학년도 모의 논술	수학 Ⅰ, 미적분	로그, 삼각함수, 수열의 합 사인 코사인 탄젠트함수의 그래프, 급수의 수렴과 발산, 삼각함수의 극한
	수학, 수학 Ⅰ, 수학 Ⅱ	두 직선의 평행조건과 수직조건, 함수의 개념과 그래프, 사인 코사인법칙, 미분가능성과 연속성, 접선의 방정식, 함수 그래프의 개형
	수학, 수학 Ⅰ, 수학 Ⅱ	사인 코사인법칙, 등비수열, 등비급수, 함수의 증가와 감소, 극대와 극소
	수학, 수학 Ⅰ, 미적분	집합의 연산, 로그, 여러가지 수열의 합 경우의 수에서 합의 법칙과 곱의 법칙 급수의 수렴과 발산
2021학년도 수시 논술	미적분	수열의 극한, 삼각함수의 극한
	수학Ⅱ, 미적분	도함수의 활용, 적분과 미분의 관계, 적분의 활용, 삼각함수의 미분과 적분
	수학, 수학 Ⅰ	일반각과 호도법, 원과 직선의 위치관계
	수학, 수학 Ⅰ	집합의 연산, 수열, 경우의 수
2021학년도 모의 논술	수학, 수학 Ⅰ	이차함수의 최대 최소, 절대값을 포함함 일차부등식, $\sum$의 뜻과 성질, 수열의 합
	수학, 수학 Ⅱ, 미적분	무리함수와 그래프, 함수의 극한, 접선의 방정식, 함수의 평균값 정리, 음함수와 역함수 미분, 부정적분과 정적분, 곡선으로 둘러싸인 도형의 넓이
	수학 Ⅰ, 미적분	사인 코사인법칙, 등비수열, 등비수열의 합, 등비급수
	수학 Ⅰ, 확률과 통계	경우의 수에서 합의 법칙과 곱의 법칙, 조합, 이항정리, 수열의 합, $\sum$의 뜻과 성질,

2. 출제 의도

학년도	출제의도
2024학년도 수시 논술	다항함수의 그래프 위의 점 $(t, f(t))$에서의 접선의 방정식을 구하고, 그 접선이 x축 위에 주어진 점 $(a, 0)$을 지나도록 하는 조건을 방정식으로 나타내어 접선의 개수가 1이 될 a의 범위를 찾는 과정을 논리적으로 서술할 수 있는지 살펴보고자 한다. 또한, 접점의 x좌표의 합을 나타내는 식을 표현하고, 그 합이 주어진 조건을 만족하도록 하는 a의 값을 구할 수 있는지 평가한다. 그리고 y축 위에 주어진 점 $(0, b)$에서 다항함수의 그래프에 그을 수 있는 접선의 개수를 분석하기 위하여 함수의 그래프의 개형을 활용할 수 있는지 평가하고자 한다.
	문제의 조건에 따라 변수 t의 범위를 나누어 t에 따라 도형이 어떻게 변하는지를 이해하고 각각의 경우에 주어진 도형의 넓이를 잘 구할 수 있는지 확인한다. 그리고 이렇게 정의된 함수가 이차함수이므로 함수의 그래프 또는 함수의 증감과 극대를 활용하여 이 함수 $f(t)$의 최댓값을 구할 수 있는지 확인한다. 마지막으로 함수 $f(t)$가 최댓값을 가질 때의 t의 값을 두 삼각형의 공통부분으로 주어지는 도형에 적용하여 이 도형이 어떤 모양인지를 유추하는 능력을 확인한다. 그리고 정육각형 $A_n B_n C_n D_n E_n F_n$에 놓인 두 정삼각형 $A_n C_n E_n$과 $B_n D_n F_n$의 내부로 이루어진 도형에서 두 삼각형의 내부의 공통부분인 정육각형 $A_{n+1} B_{n+1} C_{n+1} D_{n+1} E_{n+1} F_{n+1}$의 내부를 뺀 도형의 넓이 S_n으로 주어진 수열이 등비수열임을 확인하고 이 수열의 초항과 공비를 구하여 주어진 급수의 합을 구할 수 있는지 확인한다.
	주어진 조건을 바탕으로 삼각함수의 값을 계산할 수 있는지 평가한다. 삼각함수와 관련된 극한값을 구할 수 있는지 확인한다. 삼각형의 넓이를 계산할 수 있는지 확인하고 급수의 합을 적절히 계산할 수 있는지 평가한다.
	함수 $f(x)$에 대한 조건으로부터 닫힌구간 $[-1, 0]$과 $[1, 0]$에서 롤의 정리를 적용할 수 있는지를 평가한다. 그리고 함수 $f(x)$의 그래프를 y축 방향으로 -2만큼 평행이동한 함수 $h(x) = f(x) - 2$에 대하여 $h'(x) = f'(x)$임을 이용하여 $f(x)$에 대하여 주어진 정적분 값의 조건으로부터 $h(x)$의 정적분을 부분적분법으로 구할 수 있는지 살펴본다. 또, 문제의 주어진 조건으로부터 $h(x)$의 주기성과 대칭성을 파악하고, 이를 활용하여 주어진 구간에서 $h(x)$의 정적분을 구하여, 결과적으로 $f(x)$의 정적분을 구하는 과정을 논리적으로 설명할 수 있는지 평가하고자 한다.

학년도	출제의도
2024학년도 모의 논술	연속함수에 대한 사잇값 정리와 함수의 미분을 이용하여 방정식과 부등식에 대한 문제를 해결할 수 있는지 평가하며, 음함수의 미분을 구할 수 있는지 평가한다.
	원의 방정식을 나타내고 원의 접선의 방정식을 도출할 수 있는지 평가하고, 두 곡선의 교점을 구하는 방식을 이해하고 있는지 평가한다. 삼각함수의 덧셈정리를 적용하고 수열의 극한값을 구하는 능력을 평가한다.
	미분계수와 함수의 연속의 뜻을 알고 함수의 극한을 구할 수 있는지를 평가하고, 몫의 미분법과 합성함수의 미분법을 이용하여 미분계수를 구할 수 있는지 평가한다.
	로그함수가 포함된 함수의 개형을 미분을 이용하여 구할 수 있는지를 평가하고, 이를 통한 함수의 최솟값을 구할 수 있는지를 평가한다. 정적분을 활용한 문제해결 능력을 평가하고, 함수의 요철(볼록)의 특성을 이해하고 명확하게 서술할 수 있는지 평가한다.
2023학년도 수시 논술	다항함수의 그래프가 지나는 점, 차수에 대한 조건과 적분의 성질을 이용하여 $f(x)$와 g$g(x)$의 최고차항을 결정하고, 함수의 식을 구할 수 있는지를 확인한다. 그리고 구간 $[0,3]$에서의 $f(x)$의 평균변화율의 정의를 알고 평균값 정리를 이해하고 있으며, 평균값 정리의 식을 만족하는 실수 b의 값을 구간 $[0,3]$에서 구할 수 있는지 살펴본다. 마지막으로 구간 $[0,3]$에서 f''가 양의 값, 음의 값을 가지는 구간을 구분하여, f''의 절댓값이 포함된 함수의 식을 간단히 정리할 수 있고, 이에 대한 정적분 값을 구할 수 있는지 확인한다.
	치환적분을 통하여 정적분을 원하는 형태로 바꿀 수 있는지를 확인하고, 부분적분을 활용하여 주어진 정적분을 계산할 수 있는지를 물어본다. 마지막으로, 수열의 일반항을 구하여 주어진 등비급수의 합을 구할 수 있는지를 확인한다.
	원의 성질을 활용하여 주어진 삼각형의 넓이를 구할 수 있는지를 확인해보며, 삼각비의 정의 또는 사인법칙과 코사인법칙 등을 이용하여 주어진 선분의 길이와 삼각형의 넓이를 식으로 표현할 수 있는지를 알아본다. 마지막으로 삼각함수의 극한을 계산할 수 있는지도 확인한다.
	하나의 조건에서 다른 조건을 추가함에 따라 각각 해당 조건들을 만족하는 경우의 수를 계산하는 능력이 있는지 평가한다. 이러한 조건들을 조합하여 하나의 정책으로 적용했을 때, 수학적 의미를 이해하여 해당하는 경우의 수를 구할 수 있는지 평가한다.

학년도	출제의도
2023학년도 모의 논술	다항함수에 대한 적분식이 주어져 있을 때 다항함수의 식을 찾을 수 있는지를 확인한다. 사차함수에 절댓값을 취한 함수의 그래프를 그릴 수 있는지를 알아보고, 미분가능성을 조사할 수 있는지에 대해서도 확인한다.
	지수함수의 그래프와 직선이 만날 때 생기는 교점으로부터 관계식을 찾고, 이를 통해 주어진 부등식을 보일 수 있는지를 확인한다. 또한, 주어진 점들의 좌표를 통해 삼각형의 넓이를 잘 계산할 수 있는지를 알아보고, 극한값을 계산할 수 있는지를 알아본다.
	피타고라스 정리를 이용하여 주어진 도형의 넓이를 구할 수 있는지를 알아본다. 원에 내접하는 도형의 기하학적 성질을 이용하여 사각형에 내접하는 반지름을 구할 수 있는지를 확인한다. 또한, 반지름 사이의 규칙성을 발견하여 이웃하는 두 항 사이의 관계를 찾는 논리력도 측정하고, 주어진 급수의 값을 계산할 수 있는지도 알아본다.
	원하는 조건을 만족하는 경우의 수를 계산하는 능력이 있는지를 확인한다. 사건의 시행 조건이 바뀌었을 때 주어진 상황을 분석하여 각 경우의 수의 변화를 이해하고 구할 수 있는지 확인한다. 마지막으로 두 개의 다른 사건에서 발생할 수 있는 경우의 수를 구할 수 있는지 알아본다.
2022학년도 수시 논술	다항함수에 관한 극한이 주어져 있을 때 다항함수의 식을 찾을 수 있는지를 확인한다. 그리고 도함수를 활용하여 삼차함수의 극댓값, 극솟값, 변곡점을 찾고 그래프의 개형을 그릴 수 있는지를 알아본다. 마지막으로 절댓값을 취한 함수의 그래프를 그릴 수 있는지를 알아보고, 함수가 불연속이 되게 하는 값을 모두 찾을 수 있는지를 확인한다.
	치환적분과 정적분의 성질을 이용하여 정적분 계산이 쉬운 형태로 식을 변형할 수 있는지를 확인한다. 그리고 부분적분법 및 정적분의 정의를 이용하여 주어진 적분을 간단한 형태로 변형할 수 있는지를 알아본다. 마지막으로 삼각함수의 성질을 이용하여 등비급수의 합을 구할 수 있는지를 확인한다.
	원의 접선이 갖는 성질과 직각삼각형의 삼각비, 접선의 의미, 이차함수의 성질 등을 이해하고 있는지를 확인하고자 한다. 그리고 호도법을 이용한 부채꼴의 넓이와 적분의 활용을 통한 두 곡선 사이의 넓이를 구함으로써 주어진 도형의 넓이를 구할 수 있는지 알아본다. 마지막으로 삼각비의 활용을 통해 주어진 문제를 해결할 수 있는지를 확인한다.

학년도	출제의도
	확률의 의미를 알고 조건을 만족하는 경우의 수와 확률을 계산하는 능력이 있는지를 평가한다. 그리고 두 지점 사이의 최단 경로의 길이로 주어지는 거리를 이해하고 주어진 상황을 분석하여 확률분포표를 완성할 수 있는지를 확인한다. 마지막으로 확률분포표로부터 기댓값(평균)과 표준편차를 구할 수 있는지를 알아본다.
2022학년도 모의 논술	삼각함수와 로그의 성질을 이해하고 극한과 수열의 합을 활용하는 문제해결 능력을 평가하고자 한다. 주어진 조건에 따라 삼각함수를 포함한 수열에서 나타나는 규칙성을 파악하여 적절한 수열의 합을 적용하는 문제해결 능력을 평가하고자 한다. 또한, 문제를 해결하는 단계를 전개해 나가며 그에 대한 설명을 논리적으로 명확하게 서술할 수 있는지도 평가하고자 한다.
	함수의 성질과 극한의 정의, 접선의 방정식과 함수의 극대, 극소, 두 곡선 사이에 놓인 영역의 면적 등 '수학'과 '수학 I', '수학 II'에서 학습한 기본적인 내용을 활용하여 제시된 문제를 논리적으로 해결하는 능력을 측정하고자 한다. 또한 두 직선이 서로 수직한 조건을 이해하고 삼각함수 등을 활용하여 직사각형의 면적을 구할 수 있는지 여부도 평가하고자 한다.
	문제의 조건으로부터 정삼각형의 한 변의 길이를 구하고, 규칙성을 발견하여 점화식을 찾아가는 논리력을 측정하고자 한다. 그리고 등비급수의 합을 구하고, 이 결과를 해석하고 도함수의 성질 또는 삼각함수의 증감 등을 활용하여 문제에 제시된 명제를 증명할 수 있는지 여부를 평가한다.
	로그함수의 정의와 성질, 경우의 수 등 기초적인 수학 지식을 활용하여 문제에서 요구하는 원소의 개수를 구하고 규칙성을 발견하는 능력을 측정한다. 그리고 발견한 규칙성을 활용하여 주어진 급수의 합을 구할 수 있는지를 평가한다.
2021학년도 수시 논술	직각삼각형에서의 삼각비의 개념을 바탕으로 직각삼각형의 넓이, 원의 넓이와 둘레의 길이에 대한 수열의 일반항을 나타낼 수 있고, 미적분에서 다루는 삼각함수의 극한에 대한 성질을 통합적으로 활용하는 문제해결능력을 평가하고자 한다. 주어진 문제를 정확히 이해하고 필요한 성질을 적용하여 문제를 해결하는 단계를 전개해 나가며 그에 대한 설명을 논리적으로 명확하게 서술할 수 있는지도 평가하고자 한다.

학년도	출제의도
	미적분에서 다루는 삼각함수의 미분과 적분을 이해하며, 수학 II 에서 다루는 연속함수의 정적분의 기하학적 의미, 또는 함수의 증감에 관한 성질을 파악하여 함수를 정할 수 있고, 적분과 미분과의 관계를 이용하는 통합적 문제해결능력을 평가하고자 한다. 문제의 상황을 정확히 이해하고 주어진 조건을 종합하여 추론할 수 있는지, 또 문제를 해결하는 단계를 전개해 나가며 그에 대한 설명을 논리적으로 명확하게 서술할 수 있는지도 평가하고자 한다.
	호도법과 삼각함수와의 관계를 이용하여 주어진 길이에 대응하는 원의 중심각, 주어진 원에 내접하는 삼각형의 한 변의 길이, 주어진 중심각에 대응하는 현의 길이, 그리고 주어진 도형을 계산 가능한 도형으로 분할하여 제시된 도형의 넓이를 구하는 문제풀이 능력 등을 복합적으로 측정한다.
	평면에 제시된 도형을 구하고 이 도형에 놓여 있는 각 좌표가 정수인 점의 개수를 집합, 경우의 수, 수열의 합 등을 적절하게 활용하여 구하는 능력을 측정한다. 주어진 문제를 해결하기 위한 방법을 고안하고, 경우를 잘 나누어서 원하는 답을 구체적으로 계산할 수 있는 능력을 측정하기 위해 출제하였다.
2021학년도 모의 논술	공통 과목인 '수학'에서 배운 이차함수의 그래프를 바탕으로 최대, 최소를 이해하고, 절댓값이 포함된 일차부등식을 다룰 수 있으며, 수학 I 의 수열의 합을 통합적으로 활용하는 문제해결 능력을 평가하고자 한다. 주어진 문제를 정확히 이해하고 수학적으로 가능한 모든 경우를 분석하여 종합하여 해결할 수 있는지 평가하고자 한다. 또한, 문제를 해결하는 단계를 전개해 나가며 그에 대한 설명을 논리적으로 명확하게 서술할 수 있는지도 평가하고자 한다.
	공통 과목인 '수학'에서 배운 무리함수 $f(x)=\sqrt{x}$의 그래프에 대한 이해를 바탕으로 접선의 기울기와 미분의 관계를 이해하고, 구간 $[a, b]$에서 평균값 정리를 만족하는 점 c를 찾을 수 있는지 확인한다. 수학 II 에서 다룬 함수의 극한과 접선의 방정식, 평균값 정리를 통합적으로 활용하는 문제해결 능력을 평가한다. 그리고 미적분에서 다룬 곡선으로 둘러싸인 도형의 넓이를 근사적인 사다리꼴의 넓이와 비교할 수 있는 분석능력을 살펴본다. 또한, 문제를 해결하는 단계를 전개해 나가며 그에 대한 설명을 논리적으로 명확하게 서술할 수 있는지도 평가하고자 한다.

학년도	출제의도
	수학 1에서 다루는 삼각함수의 활용과 미적분의 등비급수의 극한에 대한 활용 능력을 평가하고자 한다. 문제의 상황을 분석하고 이해하는 능력, 사인법칙과 삼각비를 활용한 선분의 길이 계산과 삼각형의 면적 계산, 그리고 주어진 상황을 적절하게 해석하여 규칙성을 찾고 식을 세우는 능력, 이를 활용한 급수의 합 도출 능력 등을 종합적으로 평가한다.
	수학에서 가장 기본이 되는 논리적인 사고력과 경우의 수, 이항정리, 수열의 일반항 및 수열의 합 도출 능력 등을 복합적으로 확인하기 위하여 출제하였다. (1)번 문제를 해결하려면 경우의 수에서 합의 법칙을 적절히 활용하고, 이항정리를 이용하면 된다. (2)번 문제는 주어진 도로망에 주어진 크기의 정사각형이 몇 개나 있는지를 세는 문제이다. 수학적 사고를 통해 규칙성을 도출할 수 있는지를 측정한다. (3)번은 (2)번의 해결을 통해 얻어진 규칙성을 이용해 수열을 정의하고 이 수열의 합을 구체적으로 구할 수 있는지의 여부를 확인한다.

III. 논술이란?

1. 논술이란?

1) 논술이란?

어떤 문제에 대해 자기 나름의 주장이나 견해를 내세운 다음, 여러 가지 근거를 제시하여 그 주장이나 견해가 옳음을 증명하는 글쓰기 활동을 말한다. 따라서 논술의 가장 기본적인 요소는 주장과 근거이다. 다시 말해 어떤 주제에 관해서 자신의 견해를 밝히고 자기 의견을 내세우는 글이 바로 논술이다. 때문에 논술은 특별히 논리적이어야 한다는 요구를 받게 된다. 왜냐하면 여러 가지 의견이 있을 수 있는 문제에 대해 자신의 의견을 세워 다른 사람을 설득하려면, 그 주장이 충분한 근거 위에서 논리적으로 개진될 때만 가능하기 때문이다.

2) 대한민국 논술고사는?

한국에서의 대학 입시 논술고사는 실제 교과 과정과 교과서가 기본이 되어 응용된 사고와 풀이 능력과 지식을 바탕으로 한다. 논술고사는 일반적을 비판적으로 글을 읽는 능력과 창의적으로 문제를 설정하고 해결하는 능력 그리고 논리적으로 서술하는 능력을 종합적으로 평가하는 시험이다. 비판적으로 글을 읽는다는 것은 능동적으로 자신의 관점에서 글을 읽는 것을 말하며, 창의적으로 문제를 설정하고 해결하는 능력이란 심층적이고 다각적으로 논제에 접근함으로써 독창적인 사고와 풀이를 이끌어낼 수 있는 능력을 말한다. 그리고 논리적 서술 능력은 글 구성 능력, 근거 설정 능력, 표현 능력 등을 포괄한다.

3) 자연계 논술? 그리고 그 변화

모든 글은 일반적으로 3가지 종류로 나뉘어진다. 시, 소설 등 문학 작품과 같은 글쓰기인 창작적 글쓰기(creative writing)와 설명문이나 해설문의 글쓰기는 해명적 글쓰기(expository writing), 그리고 논설문의 글쓰기인 비판적 글쓰기(critical writing)가 있다. 이 글쓰기 중 대한민국의 대학입시에서 시행되고 있는 자연계 논술은 창작적 글쓰기는 포함되지 않는다. 새로운 문학 작품을 쓰는게 아니라 제시문을 읽고 내용을 구체화시켜 잘 설명하는 설명문의 형태가 있고, 주어진 문제에 대해 생각하고 깊이있는 주장을 피력하는 비판적 글쓰기도 있다.

2. 논술의 기본 용어

1) 논제 : 논술의 문제를 의미한다.
반드시 해결하고 접근하여야 할 논술 시험의 대상이다.
  (ㄱ)　중심 논제 : 채점할 때 가장 배점이 높으며, 핵심적으로 해결해야 할 논술의 문제
  (ㄴ)　세부 논제 : 큰 논제 속에 포함된 작은 문제, 각 단계별 채점의 기준이 되며 세부 채점 항목으로 필수 해결 항목이다.
2) 논거 : 논술에서 설명하고 주장하는 논리적인 근거 혹은 이유

3) 주장 : 수험생이 생각하고 채점자에게 알리고 싶은 생각
4) 제시문 : 보기 지문을 말한다.
　(ㄱ)　　출제자가 논제 해결을 위해 보여주는 다양한 글
　(ㄴ)　　각종 그래프, 도표, 그림 등
　　　　자료가 정해져 있지는 않다. 하지만 고등학교 교과서를 가장 많이 인용하고, 고등학교 교과 과정으로 분석하고 판단할 수 있는 내용을 제시한다.
5) 개요 : 논제에 맞게 더 구체적으로는 세부 논제에 맞게 글의 진행 방향을 간략하게 정리하는 과정이다.

3. 논술의 명령어

논술고사 후 대학의 발표 자료를 보면 논술은 출제자의 의도에 부합하게 글을 써야 한다고 강조한다. 그런데 출제자의 의도를 파악하는 것은 자칫 상당히 모호하고 주관적인 것으로 판단하기 쉽다.

하지만 자연계 논술에서는 명령어가 한정되어 있다. 그 명령어들을 잘 익히고 의미를 파악한다면 훨씬 논술의 이해가 높아질 것이다. 또한 대학의 채점 기준에는 명령어의 요구 조건을 충족하는지를 평가한다. 그러므로 자연계 논술의 명령어는 수험생에게는 아주 기초적이지만 필수적이며 절대 잊지 말아야 할 중요한 핵심이다.

1) ~ 에 대해 논술하시오.

; 주장을 밝히고 근거를 제시한다.

2) ~ 에 대해 설명하시오.

: 사실, 주장 등을 쉽게 풀어서 밝힌다.

> ● ~ 제시문 간의 관련성을 설명하시오.
> ● ~ 제시문의 논리적 타당성과 문제점을 설명하시오.
> ● ~ 제시문을 참고하여 주어진 자료의 특징을 설명하시오.
> ● ~ 제시문의 관점에서 왜 그런 현상이 생기는지 그 이유를 설명하시오.

3) ~ 의 비교하시오. 혹은 대조하시오.

: 공통점과 차이점을 중심으로 설명한다.

> ● ~ 공통점과 차이점을 설명하시오.

4) ~ 을 분석하시오.

: 주제를 구성요소로 나누고 각 부분의 의미와 상호관계를 밝힌다.

5) ~ 제시문과 주어진 자료를 참고하여 현상을 예측해 보시오.

: 주어진 자료를 해석하고 자료로부터 얻을 수 있는 시간에 따른 변화나 자료의 발생 이유를 살핀다.

6) ~ 제시문의 문제점을 지적하고 그 문제점을 해결할 방법을 제시하시오.

: 보통은 수학이나 과학의 역사에서 발생했던 여러 오류나 실험과정에서 나타난 문

제점을 가지고 있다. 또한 이론이나 실험, 학생의 실험보고서 등과 같이 확실한 오류가 있는 제시문을 주기도 한다. 분명히 문제점을 파악하여 답안에 서술하고 문제점이나 해결할 수 있는 방법 등을 명확히 하여야 한다.

● ~ 제시문의 관점에서 왜 그런 현상이 생기는지 그 원리를 설명하고 그런 현상을 예방할 수 있는 방안을 제시하시오.

● ~ 문제점을 지적하고 합리적 대안을 제안해 보시오.

● ~ 주어진 관점을 검증할 수 있는 방법을 논하시오.

● ~ 주어진 문제점을 해결할 수 있는 실험을 설계해 보시오.

---

7) 제시문의 관점에서 주장을 비판하시오.

: 어떤 주장의 타당성이나 가치 등을 평가한다.

4. 자연계 논술 글쓰기 유의사항

① 논제의 해결이 핵심이다. 출제자가 원하는 답을 써야 한다.

② 논제에 부합하는 글을 일관성 있게 써야 한다.

③ 한편의 글을 완성하여야 한다. 나열하거나 사례를 보여주는 것은 의미가 없다.

④ 제시문을 활용, 인용하는 것과 제시문을 그대로 옮겨 쓰는 것은 다르다. 적절하게 제시문의 내용을 사용하여 논제를 해결하여야 한다. 절대 제시문의 문장을 그대로 쓰면 안 된다. 금기사항이고 감점요인이다.

⑤ 부적절한 문장 즉, 비문을 만들지 말아야 한다. 주어와 서술어가 적절하게 있어 문장의 의미를 명확히 전달하여야 한다. 주어를 생략하거나 지시어를 과도하게 사용하면 문장의 의미가 모호해 진다.

⑥ 문장은 짧고 간결하게 써야 한다. 자신의 의견을 명확히 간결하고 효과적으로 밝혀야 한다.

5. 논술 확인 사항

1. 답안지는 지급된 흑색 볼펜으로 원고지 사용법에 따라 작성하여야 합니다. (수정액 및 수정테이프 사용 금지)

2. 수험번호와 생년월일을 숫자로 쓰고 컴퓨터용 사인펜으로 ● 표기하여야 합니다.

3. 답안의 작성 영역을 벗어나지 않도록 각별히 유의 바라며, 인적사항 및 답안과 . 관계없는 표기를 하는 경우 결격 처리 될 수 있습니다.

4. 제시된 작성 분량 미 준수 시 감점 처리됨을 유의 바랍니다.

IV. 자연계 논술 실전

1. 각 대학별 논술 유의사항을 파악하라!

　　많은 대학에서 글자수 제한을 확인하여야 한다. 그래서 원고지 형이 많지만, 문항별 칸을 만들거나 밑줄 답안 형식도 있다. 논술 시험 시간은 각 대학별로 다양하다. 60분 즉, 한 시간을 시작으로 많게는 2시간까지 (120분)까지 다양하게 있다. 대학별로 준비해야 하는 중요한 이유이다. 답안을 작성하는 필기구도 다양하다. 연필(샤프펜)의 사용이 꾸준히 증가하지만 아직까지 검정색 볼펜이나 청색 볼펜으로 사용하는 학교도 많다. 주의할 것은 수정법이다. 수정은 학교에 따라 수정액, 수정테이프의 사용을 제한하는 경우도 있고 틀리면 두줄을 긋고 써야 하는 곳도 있다. 그러므로 각 대학별 특징을 파악하고, 미리 답안 작성 연습은 물론이고 작성할 때도 대학별로 금지하는 내용을 숙지하고 시험장에 가야 한다.

각 대학별 유의사항 사례

사례 1)

가. 답안은 한글로 작성하되, 글자수 제한은 없다.

나. 제목은 쓰지 말고 특별한 표시를 하지 말아야 한다.

다. 제시문 속의 문장을 그대로 쓰지 말아야 한다.

라. 반드시 본 대학교에서 지급한 필기구를 사용하여야 한다.

마. 수정할 부분이 있는 경우 수정도구를 사용하지 말고 원고지 교정법에 의하여 교정하여야 한다.

바. 본 대학교에서 지급한 필기구를 사용하지 않거나, 수정도구를 사용한 경우, 답안지에 특별한 표시를 한 경우, 또는 원고지의 일정분량 이상을 작성하지 않은 경우에는 감점 또는 0점 처리한다.

사례 2)

Ⅰ. 필요한 경우 한 개 또는 여러 개의 제시문을 선택하여 논의를 전개하고, 사용한 제시문은 꼭 참고문헌 형태로 표시하시오.

　　예) …[제시문 1-4].

　　예) …되며[제시문 2-4], …의 경우는 ~을 보여준다[제시문 2-1].

Ⅱ. [문제 1]부터 [문제 4]까지 문제 번호를 쓰고 순서대로 답하시오.

Ⅲ. 연필을 사용하지 말고, 흑색이나 청색 필기구를 사용하시오.

Ⅳ. 인적사항과 관련된 표현을 일절 쓰지 마시오.

Ⅴ. 문제당 배점은 동일함.

사례 3)

◇ 각 문제의 답안은 배부된 OMR 답안지에 표시된 문제지 번호에 맞춰 작성하시오.

◇ 각 문제마다 정해진 글자수(분량)는 띄어쓰기를 포함한 것이며, 정해진 분량에 미달하

거나 초과하면 감점 요인이 됩니다.
◇ 답안지의 수험번호는 반드시 컴퓨터용 수성 사인펜으로 표기하시오.
◇ 답안은 검정색 필기구로 작성하시오. (연필 사용 가능)
◇ 답안 수정시 원고지 교정법을 활용하시오. (수정 테이프 또는 연필지우개 사용 가능)
◇ 답안 내용 및 답안지 여백에는 성명, 수험번호 등 개인 신상과 관련된 어떤 내용, 불필요한 기표하면 감점 처리됩니다.

사례 4)
◆ 답안 작성 시 유의사항 ◆
□ 논술고사 시간은 90분이며, 답안의 자수 제한은 없습니다.
□ 1번 문항의 답은 답안지 1면에 작성해야 하고, 2번 문항의 답은 답안지 2면에 작성해야 합니다. 1, 2번을 바꾸어 작성하는 경우 모두 '0점 처리'됩니다.
□ 연습지는 별도로 제공하지 않습니다. 필요한 경우 문제지의 여백을 이용하시기 바랍니다.
□ 답안은 검정색 또는 파란색 펜으로만 작성하며 연필, 샤프는 사용할 수 없습니다.
□ 답안 수정은 수정할 부분에 두 줄로 긋거나 수정테이프(수정액은 사용 불가)를 사용해서 수정합니다.
□ 답안지에는 답 이외에 아무 표시도 해서는 안 됩니다.
□ 답안지 교체는 고사 시작 후 70분까지 가능하며, 그 이후는 교체가 불가합니다.

2. 제시문에 먼저 눈을 두지 말고 문제를 파악하라!!!

대학별 고사인 논술의 어려운 점은 시간의 제한이 있는 글쓰기 시험이라는 것이다. 자유롭게 잘 쓸 수 있는 내용일지라도 시간의 제한이 있으면 얘기가 달라진다. 특히 지금과 같이 각 대학별로 다양하게 등장하는 시험에 익숙하지 않은 수험생에게는 더 큰 부담으로 작용을 한다.

대학에서는 다양하게 제시문과 문제를 분포시킨다. 문제를 등장시키고 제시문이 등장하는 경우, 그림과 도표, 그래프 등과 같이 자료를 제시하고 제시문과 문제를 함께 등장시키는 경우, 제시문을 많이 등장시키고 마지막에 문제를 제시하는 경우 등... 이렇듯 다양한 문제에 시간의 적절한 활용은 대학별 고사의 실전에서는 당락을 결정하는 중요 요소이다.

이러한 실전적 논술에서 핵심은 바로 목적을 가지고 제시문의 읽기가 선행되어야 한다. 글 읽기의 핵심은 문제를 통해 논제를 구체적으로 파악하고 그 논제에 부합하게 제시문을 분석하는 것이다.

① 문제를 먼저 확인하라!! - 제시문을 읽고 문제를 보면 다시 긴 제시문을 또 읽어 시간을 낭비한다.
② 세부 논제 확인하라!! - 한 문제라도 그 문제 속에 다루는 논제는 여러 개가 될 수 있

다. 그 질문 내용을 파악하라. 그리고 요구한 논제에 맞게 글을 구성한다.

 ③ 전제적 요건 파악하라!! - 각 문제의 전제적 요건 및 글로 표현된 부연 설명 등이 중요한 키워드가 될 수 있다.

V. 성신여대학교 기출

1. 2024학년도 성신여대 수시 논술

<문제 1> 함수 $f(x) = x^3 - 3x^2$에 대하여 다음 물음에 답하시오. [총 25점]

(1) x축 위의 점 $(a, 0)$에서 곡선 $y = f(x)$에 그을 수 있는 접선의 개수가 1인 실수 a의 범위를 구하시오. [7점]

(2) x축 위의 점 $(a, 0)$에서 곡선 $y = f(x)$에 그은 모든 접선에 대하여 접점들의 x좌표의 합이 1이 되는 실수 a의 값을 모두 구하시오. [10점]

(3) y축 위의 점 $(0, b)$에서 곡선 $y = f(x)$에 그을 수 있는 접선의 개수가 3인 실수 b의 범위를 구하시오. [8점]

<문제 2> 다음 물음에 답하시오. [총 25점]

(1) 좌표 평면 위에 한 변의 길이가 $\sqrt{3}$인 두 정삼각형 ABC, DEF가 다음 그림과 같이 변 AB와 변 DE는 x축에 수직이고, 꼭짓점 C, F는 x축 위에 있으며, F의 x좌표가 0이 되도록 놓여 있다. 실수 t에 대하여 점 C의 x좌표를 t라 할 때, 두 정삼각형의 내부의 공통부분으로 이루어진 도형의 넓이 $f(t)$를 t에 대한 식으로 표현하시오. (단, $0 < t < 3$ 이다.) [10점]

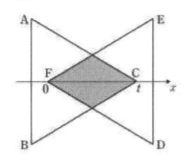 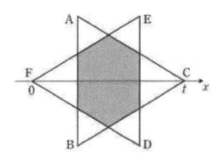

(2) (1)에서 구한 식으로부터 함수 $f(t)$의 최댓값을 구하고, 함수 $f(t)$가 최대일 때 두 정삼각형의 내부의 공통부분으로 이루어진 도형의 둘레의 길이를 구하시오. [7점]

(3) 다음 그림과 같이 한 변의 길이가 1인 정육각형 $A_1B_1C_1D_1E_1F_1$에 놓인 두 삼각형 $A_1C_1E_1$과 $B_1D_1F_1$의 내부로 이루어진 도형에서 이 두 삼각형의 내부의 공통부분인 정육각형 $A_2B_2C_2D_2E_2F_2$의 내부를 **뺀** 도형의 넓이를 S_1이라 하고, 정육각형 $A_2B_2C_2D_2E_2F_2$에 놓인 두 삼각형 $A_2C_2E_2$와 $B_2D_2F_2$의 내부로 이루어진 도형에서 이 두 삼각형의 내부의 공통부분인 정육각형 $A_3B_3C_3D_3E_3F_3$의 내부를 **뺀** 도형의 넓이를 S_2라 하자. 이와 같은 과정을 계속하여 n번째 얻은 도형의 넓이를 S_n이라 할 때, $\sum_{n=1}^{\infty} S_n$을 구하시오. [8점]

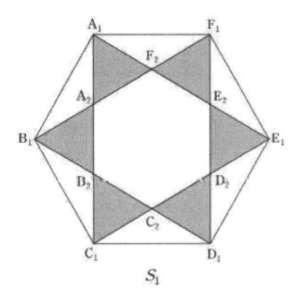

S_1

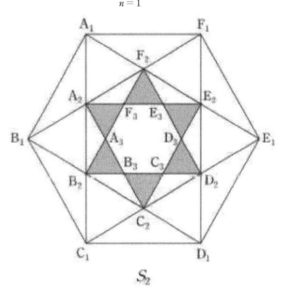

S_2

<문제 3> 그림과 같이 자연수 n과 원점 O, 점 A(0, 1)에 대하여 직선 $y = nx$ 위에 $\overline{OB_n} : \overline{OC_n} = 2 : 1$이면서 $\angle OAB_n = \angle OAC_n$이 되도록 제 3사분면의 점 B_n과 제 1사분면의 점 C_n을 잡는다. $\angle OAB_n = \theta_n$, $\angle AOC_n = \alpha_n$이라 하자. $\left(0 < \theta_n < \dfrac{\pi}{2},\ 0 < \alpha_n < \dfrac{\pi}{2}\right)$ 다음 물음에 답하시오. [총 25점]

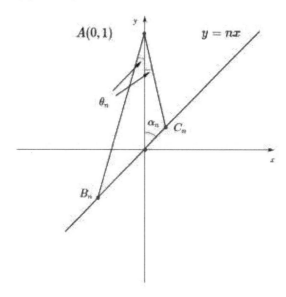

(1) $\sin\alpha_n$과 $\tan\alpha_n$을 각각 n에 대한 식으로 나타내시오. [5점]

(2) $\displaystyle\lim_{n \to \infty} \dfrac{\theta_n}{\alpha_n}$을 구하시오. [10점]

(3) 삼각형 AB_nC_n의 넓이를 S_n라 할 때, $\displaystyle\sum_{n=1}^{\infty} S_nS_{n+1}$의 값을 구하시오. [10점]

<문제 4> 함수 $f(x)$가 모든 실수에서 미분가능하며, $f'(x)$가 모든 실수에서 연속이고, $f(x)$가 다음 조건을 모두 만족시킨다.

> (가) 모든 실수 x에 대하여 $f(x)+f(-x)=4$
>
> (나) 모든 실수 x에 대하여 $f(x+2)=f(x)$
>
> (다) $\displaystyle\int_0^1 xf'(x)dx=1$

다음 물음에 답하시오. [총 25점]

(1) 방정식 $f'(x)=0$의 서로 다른 실근이 열린구간 $(-1,\ 1)$에 두 개 이상 존재함을 보이시오. [7점]

(2) 함수 $h(x)=f(x)-2$에 대하여 $\displaystyle\int_0^1 h(x)dx$의 값을 구하시오. [8점]

(3) $\displaystyle\int_4^9 f(x)dx$의 값을 구하시오. [10점]

성신여자대학교
SUNGSHIN WOMEN'S UNIVERSITY

수시 논술 답안지

계열	자연계열
감독자 확인	
구분	● ②

수험생 작성란

	수험번호	생년월일
지원학과 (부, 전공)		
성명		

【문제 1】 반드시 해당문제의 답을 작성해야 함

【1-1】

【1-2】

【1-3】

이 줄 아래에 답안을 작성하거나 낙서할 경우 판독이 불가능하여 채점 불가

【문제 2】 반드시 해당문제의 답을 작성해야 함

【2-1】

【2-2】

【2-3】

계열	자연계열

감독자 확인	

구분	① ●

수험생 작성란

	수험번호	생년월일

지원학과 (부, 전공)	

성명	

【문제 3】 반드시 해당문제의 답을 작성해야 함

【3-1】

【3-2】

【3-3】

이 줄 아래에 답안을 작성하거나 낙서할 경우 판독이 불가능하여 채점 불가

【문제 4】 반드시 해당문제의 답을 작성해야 함

【4-1】

【4-2】

【4-3】

2. 2024학년도 성신여대 모의 논술

<문제 1> 실수 t에 대한 함수 $f(t)=e^{1+t}-2t$와 좌표평면의 곡선 $\ln(e-1+x^2+y^2)=1+y$ 에 대하여 다음 물음에 답하시오.

(!) [7점] 모든 실수 t에 대하여 $f(t)>0$임을 보이시오.

(2) [10점] 좌표평면의 곡선 $\ln(e-1+x^2+y^2)=1+y$가 y축과 단 한 점에서 만나며, 그 점의 y좌표는 $-1<y<0$인 범위에 있음을 보이시오.

(3) [8점] 좌표평면의 곡선 $\ln(e-1+x^2+y^2)=1+y$가 직선 $y=1$과 만나는 점을 $A(a,\,1)$ 이라 할 때, 점 $A(a,\,1)$에서의 이 곡선에 대한 접선의 기울기를 구하시오. (단, $a>0$)

<문제 2> 아래 그림과 같이 원점 O를 중심으로 하고 반지름이 $\sqrt{n(n+1)}$인 원을 $C_n(n=1,\,2,\,\cdots)$이라 하자. 원 C_n이 $y=\sqrt{x}$의 그래프와 만나는 점을 P_n, 점 P_n에서 원 C_n에 접하는 직선과 원 C_{n+1}이 만나는 두 점을 각각 Q_n, R_n이라 하고, $\theta_n=\angle Q_nOR_n$이 라 하자. (단, Q_n의 x좌표는 R_n의 x좌표보다 작고, $0<\theta_n<\pi$이다.)
다음 물음에 답하시오.

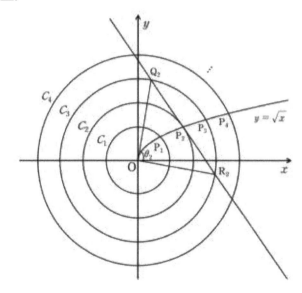

(1) [7점] P_n의 좌표를 구하시오.

(2) [9점] 모든 자연수 n에 대하여 Q_n과 R_n의 x좌표의 차는 $2\sqrt{2}$임을 보이시오.

(3) [9점] $\cos\theta_n$을 n에 대한 식으로 나타내고, $\displaystyle\lim_{n\to\infty}\cos\theta_n$의 값을 구하시오.

<문제 3> $f(1) = -1$인 다항함수 $f(x)$에 대하여 $\lim\limits_{x \to 1} \dfrac{\{f(x)\}^3 + 1}{x^2 - 1} = 3$이 성립하고, 구간 $(0,\ 2)$에서 $g(x) \neq 0$인 다항함수 $g(x)$에 대하여 $\lim\limits_{x \to 1} \dfrac{(e^x - e)\{f(x) + g(x)\}}{(x-1)^2 g(x)} = 2$가 성립할 때, 다음 물음에 답하시오.

(1) [8점] $f'(1)$의 값을 구하시오.

(2) [10점] 구간 $(0,\ 2)$에서 함수 $h(x)$를 $h(x) = \dfrac{f(x)}{g(x)}$로 정의할 때, $h'(1)$의 값을 구하시오.

(3) [7점] 함수 $k(x)$를 $k(x) = f(g(x))$로 정의할 때, $k'(1)$의 값을 구하시오.

<문제 4> 양의 실수 x에 대한 함수 $f(x)$를 $f(x) = x - \ln x$라고 할 때, 다음 물음에 답하시오.

(1) [8점] 함수 $y = f(x)$의 그래프의 개형을 그리고, 모든 양의 실수 x에 대하여 $f(x) \geq 1$임을 보이시오.

(2) [7점] (2)을 이용하여 $a < b$인 양의 실수 a, b에 대하여 $\dfrac{a+b}{2} \geq \dfrac{b \ln b - a \ln a}{b - a}$임을 보이시오.

(3) [10점] 함수 $y = f(x)$의 그래프를 이용하여 2 이상의 자연수 n에 대하여 $\sum\limits_{k=1}^{n-1} \dfrac{f(k) + f(k+1)}{2} \geq \displaystyle\int_1^n f(x)dx$가 성립함을 보이시오.

3. 2023학년도 성신여대 수시 논술

<문제 1> 최고차항의 계수가 1인 다항함수 $g(x)$의 그래프가 원점을 지나고, 함수 $g(x)$에 대하여 사차함수 $f(x)$를

$$f(x) = x \int_0^x g(t)dt$$

로 정의할 때 $f(3) = 0$이라 하자. 다음 질문에 답하시오. [총 25점]

(1) 다항함수 $g(x)$와 $f(x)$를 구하시오. [10점]

(2) 구간 $[0,\ 3]$에서의 $f(x)$의 평균변화율을 구하고, 그 값과 $f'(b)$가 같게 되는 실수 b의 값을 구간 $(0,\ 3)$에서 구하시오. [7점]

(3) $\displaystyle\int_0^3 (|f''(x)| - f''(x))dx$의 값을 구하시오. [8점]

<문제 2> 모든 자연수 n에 대하여

$$a_n = \sqrt{2}\, e^{\frac{\pi}{4}} \int_{\frac{\pi}{4}}^{n\pi + \frac{\pi}{4}} e^{-x} \sin x \, dx$$

로 정의된 수열 $\{a_n\}$에 대하여 다음 질문에 답하시오. [총 25점]

(1) $a_n = \displaystyle\int_0^{n\pi} e^{-x}(A\sin x + B\cos x)dx$를 만족시키는 상수 A, B를 구하시오. [7점]

(2) $\displaystyle\lim_{n \to \infty} a_n$의 값을 구하시오. [10점]

(3) $\displaystyle\sum_{n=1}^{\infty} (a_n - a_{n+1})$의 값을 구하시오. [8점]

〈문제 3〉 아래 그림과 같이 한 직선 m위에 지름이 놓인 두 반원의 반지름이 모두 1이며, 중심이 각각 O_1, O_2이고, 직선 m 위의 한 점 A에 대하여 $\overline{O_1A} = \overline{O_2A} = 1$이다. 반원 O_1 위의 한 점 P_1에 대해 $\angle P_1 O_1 A = \theta$라고 할 때, 반직선 $\overrightarrow{O_1P_1}$이 반원 O_2와 만나는 두 점 중 점 P_1에 가까운 순서대로 각각 P_2, Q라 하자. 다음 질문에 답하시오.

(단, $0 < \theta < \dfrac{\pi}{6}$이다.) [총 25점]

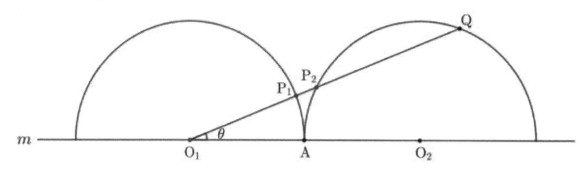

(1) $\sin\theta = \dfrac{1}{\sqrt{5}}$일 때, 삼각형 $P_2 O_2 Q$의 넓이를 구하시오. [7점]

(2) 선분 $P_1 P_2$의 길이를 $\ell(\theta)$라고 할 때, $\ell(\theta)$의 식을 구하고, $\displaystyle\lim_{\theta \to 0+} \dfrac{\ell(\theta)}{\theta^2}$의 값을 구하시오. [8점]

(3) 삼각형 $O_1 A P_1$의 넓이를 $f(\theta)$, 삼각형 $O_1 O_2 Q$의 넓이를 $g(\theta)$, 사각형 $A O_2 P_2 P_1$의 넓이를 $h(\theta)$라고 하자. 이때, $f(\theta)$, $g(\theta)$, $h(\theta)$를 구하고, $\displaystyle\lim_{\theta \to 0+} \dfrac{f(\theta) + g(\theta) + h(\theta)}{\theta}$의 값을 구하시오. [10점]

<문제 4> 수정이가 인터넷 사이트에 가입하기 위해서 아이디를 만들고 비밀번호를 정하고 있다. 이 사이트는 비밀번호의 각 자리에 0, 1, 2, 3, 4, 5, 6, 7, 8, 9 중 하나의 숫자를 사용하도록 한다고 하자. 다음 질문에 답하시오. [총 25점]

(1) 같은 숫자가 세 번 이상 들어있는 다섯 자리 비밀번호(예를 들어 00111, 50559 등)의 가짓수를 구하시오. [7점]

(2) 같은 숫자가 세 번 이상 연속하여 나타나는 다섯 자리 비밀번호 (예를 들어 01111, 12223 등)의 가짓수를 구하시오. [10점]

(3) 이 사이트의 보안정책은 사용자가 다섯 자리 비밀번호를 사용하도록 하지만, 사용자가 선택한 비밀번호에 같은 숫자가 세 번 이상 연속하여 나타나면 뒤쪽에 두 자리를 추가하여 일곱 자리의 비밀번호를 사용하도록 강제한다. 이러한 보안정책에 따라 수정이가 선택할 수 있는 모든 비밀번호의 가짓수를 구하시오. [8점]

성신여자대학교
SUNGSHIN WOMEN'S UNIVERSITY

수시 논술 답안지

계열	**자연계열**
감독자 확인	
구분	● ②

수험생 작성란		
지원학과 (부, 전공)	수험번호	생년월일
성명		

【문제 1】 반드시 해당문제의 답을 작성해야 함

【1-1】

【1-2】

【1-3】

【문제 2】 반드시 해당문제의 답을 작성해야 함

【2-1】

【2-2】

【2-3】

계열	자연계열

감독자 확인	

구분	① ●

수험생 작성란

수험번호

생년월일

지원학과
(부, 전공)

성명

【문제 3】 반드시 해당문제의 답을 작성해야 함

【3-1】

【3-2】

【3-3】

이 줄 아래에 답안을 작성하거나 낙서할 경우 판독이 불가능하여 채점 불가

【문제 4】 반드시 해당문제의 답을 작성해야 함

【4-1】

【4-2】

【4-3】

4. 2023학년도 성신여대 모의 논술

<문제 1> $f(0) = -12$인 다항함수 $f(x)$에 대하여 최고차항의 계수가 1인 사차함수 $g(x)$를

$$g(x) = \int_a^x (x^2 - tx)f(t)dt \text{(단, } a \text{는 상수)}$$

라 할 때, 다음 물음에 답하시오. [총25점]

(1) [10점] $f(x)$와 $g(x)$를 구하시오.

(2) [7점] 모든 실수 x에 대해 $|g(x)| = g(x)$가 성립할 때, 곡선 $y = g(x)$와 x축으로 둘러싸인 부분의 넓이를 구하시오.

(3) [8점] 함수 $y = |g(x)|$가 미분가능하지 않은 점이 1개 이하가 되도록 하는 a의 값을 모두 구하시오.

<문제 2> 좌표평면에서 곡선 $y=2^x$과 직선 $y=-x+n$이 만나는 점을 $P_n(a_n,\ 2^{a_n})$이라 하고, 곡선 $y=2^{-x}$과 직선 $y=-x+n$이 만나는 점 중 x좌표가 양수인 점을 $Q_n(b_n,\ 2^{-b_n})(b_n>0)$이라 하자. 또한, 점 Q_n에서 x축에 내린 수선의 발을 C_n이라 하고, 직선 $x=b_n$과 곡선 $y=2^x$이 만나는 점을 R_n이라 하자. (단, n은 2이상의 자연수이다.)

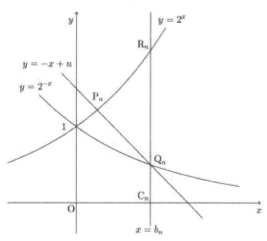

다음 물음에 답하시오. [총25점]

(1) [10점] 선분 P_nP_{n+1}의 길이가 $\sqrt{2}$보다 작음을 보이시오.

(2) [5점] 부등식 $n-1<b_n<n$이 성립함을 보이시오.

(3) [10점] 삼각형 OC_nR_n의 넓이를 S_n, 삼각형 OC_nQ_n의 넓이를 T_n이라고 할 때, $\displaystyle\lim_{n\to\infty}\frac{S_n\times T_n}{n^2}$의 값을 구하시오.

<문제 3> 그림과 같이 $\angle D_1 A_1 B_1 = \angle B_1 C_1 D_1 = 90°$ 이고, $\overline{A_1 B_1} = \overline{B_1 C_1}$, $\overline{C_1 D_1} = \overline{D_1 A_1}$인 사각형 $A_1 B_1 C_1 D_1$이 중심이 O_1인 원 O_1에 내접한다. 네 변 $A_1 B_1$, $B_1 C_1$, $C_1 D_1$, $D_1 A_1$을 각각 지름으로 하고 사각형 $A_1 B_1 C_1 D_1$의 외부에 그려진 4개의 반원의 내부와 원 O_1의 외부의 공통부분에 색칠하여 얻은 그림 ⬭을 R_1이라 하자.

또 사각형 $A_1 B_1 C_1 D_1$에 내접하는 중심이 O_2인 원 O_2에 대하여 선분 $O_2 B_1$, 선분 $O_2 D_1$과 원 O_2가 만나는 점을 각각 B_2, D_2라고 하자. 점 D_2에서 선분 $A_1 D_1$과 평행한 직선이 원 O_2와 만나는 점 중 점 D_2가 아닌 점을 점 A_2라 하고, 점 D_2에서 선분 $D_1 C_1$과 평행한 직선이 원 O_2와 만나는 점 중 점 D_2가 아닌 점을 점 C_2라 하자. 이렇게 만들어지는 사각형 $A_2 B_2 C_2 D_2$의 네 변 $A_2 B_2$, $B_2 C_2$, $C_2 D_2$, $D_2 A_2$을 각각 지름으로 하고 사각형 $A_2 B_2 C_2 D_2$의 외부에 그려진 4개의 반원의 내부와 원 O_2의 외부의 공통부분에 색칠하여 얻은 그림 ⬭을 R_2이라 하자.

이와 같은 과정을 계속하여 n번째 얻은 그림 R_n에 색칠되어 있는 부분의 넓이를 S_n이라 할 때, 다음 물음에 답하시오. [총25점]

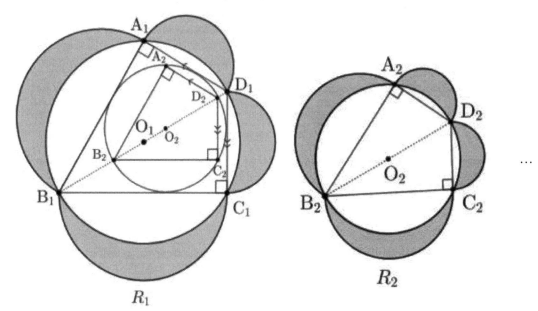

(1) [7점] $\overline{A_1 B_1} = a_1$, $\overline{D_1 A_1} = b_1$이라고 할 때, S_1을 a_1과 b_1로 나타내시오.

(2) [8점] 원 O_1과 원 O_2의 반지름을 각각 r_1, r_2라고 할 때, r_1과 r_2를 a_1과 b_1로 나타내시오.

(3) [10점] $a_1 = 2$이고 $b_1 = 1$일 때, $\displaystyle\sum_{n=1}^{\infty} S_n$의 값을 구하시오.

<문제 4> 그림과 같이 수정이와 성신이가 수직선 위의 좌표 0과 12에 처음 말을 놓고 주사위를 던지는 게임을 한다. 두 사람이 각자 주사위를 2번 던져 나온 수의 합만큼 화살표 방향으로 말을 이동시킨다고 한다. 예를 들어 수정이가 주사위를 2번 던졌을 때 나온 수의 합이 7이면 수정이는 말을 7칸 움직여 수직선 위의 좌표 7에 말을 놓고, 성신이가 주사위를 2번 던졌을 때 나온 수의 합이 3이면 12−3＝9이므로 성신이는 말을 3칸 움직여 수직선 위의 좌표 9에 말을 놓는다. 다음 물음에 답하시오. [총25점]

(1) [5점] 수정이가 주사위를 2번 던졌을 때 말이 놓이는 위치의 좌표를 X라 할 때 좌표 X에 수정이의 말이 위치하게 되는 경우의 수를 각각 구한 후 아래의 표를 참고하여 표로 나타내시오.

X	2	3	4	...
경우의 수				

(2) [10점] 이동 규칙을 변경하여 아래의 규칙을 만족시키도록 말을 이동시킬 때, 수정이의 말이 놓이는 위치의 좌표를 Y라 하자. (단, 수정이의 말은 처음에 좌표 0에 위치한다.)

> (가) 주사위를 2번 던졌을 때, 나온 눈의 수가 다르다면 나온 두 수의 합만큼 화살표 방향으로 말을 이동시킨다.
>
> (나) 주사위를 2번 던졌을 때, 나온 눈의 수가 같다면 주사위를 1번 더 던져 총 3번 던진 주사위에서 나온 눈의 수들의 합만큼 화살표 방향으로 말을 이동시킨다. (단, 세 수의 합이 12이상일 경우 말은 12칸만 이동한다.)

좌표 Y에 수정이의 말이 위치하게 되는 경우의 수를 각각 구한 후 아래의 표를 참고하여 표로 나타내시오.

Y	3	4	5	...
경우의 수				

(3) [10점] (2)의 규칙에 따라 게임을 진행하여 수정이와 성신이의 말이 같은 좌표에 놓였을 때의 좌표를 Z라 하자. 수정이와 성신이의 말이 좌표 Z에 같이 위치하게 되는 경우의 수를 각각 구한 후 아래의 표를 참고하여 표로 나타내시오.
(단, 수정의의 말은 처음에 좌표 0에 위치하고 성신이의 말은 처음에 좌표 12에 위치한다.)

Z	3	4	5	...
경우의 수				

성신여자대학교
SUNGSHIN WOMEN'S UNIVERSITY

수시 논술 답안지

계열	자연계열
감독자 확인	
구분	● ②

【문제 1】반드시 해당문제의 답을 작성해야 함

【1-1】

【1-2】

【1-3】

이 줄 아래에 답안을 작성하거나 낙서할 경우 판독이 불가능하여 채점 불가

【문제 2】 반드시 해당문제의 답을 작성해야 함

【2-1】

【2-2】

【2-3】

성신여자대학교
SUNGSHIN WOMEN'S UNIVERSITY

수시 논술 답안지

계열	자연계열
감독자 확인	
구분	① ●

수험생 작성란

지원학과 (부, 전공)	
성명	

수험번호	생년월일

【문제 3】 반드시 해당문제의 답을 작성해야 함

【3-1】

【3-2】

【3-3】

이 줄 아래에 답안을 작성하거나 낙서할 경우 판독이 불가능하여 채점 불가

【문제 4】 반드시 해당문제의 답을 작성해야 함

【4-1】

【4-2】

【4-3】

5. 2022학년도 성신여대 수시 논술

<문제 1> 다항함수 $f(x)$가 다음 조건을 만족시킨다.

(가) $\displaystyle\lim_{x \to \infty}\left\{\dfrac{f(x)}{x^2}-x\right\}=-1$
(나) $\displaystyle\lim_{x \to 0}\dfrac{f(x)}{x}=\dfrac{1}{4}$

다음 질문에 답하시오. [총 25점]

(1) $f(x)$를 x에 대한 식으로 나타내시오. [7점]

(2) 함수 $y=f(x)$의 그래프의 개형을 그리고, 그래프 위에 극대 및 극소를 나타내는 점의 좌표와 변곡점의 좌표를 표시하시오. 또한, 곡선 $y=f(x)$의 변곡점을 $\mathrm{P}(a,\ f(a))$라 할 때 $f(a-x)=2f(a)-f(a+x)$가 성립함을 설명하시오. [8점]

(3) $g(x)=\dfrac{1}{2}\left\{f\left(\dfrac{1}{3}-x\right)+f\left(\dfrac{1}{3}+x\right)\right\}$라 하고, 모든 실수 k에 대해 함수 $p(k)$를 집합

$$\{x\,|\,|f(x)-g(x)|=k,\ x\text{는 실수 }\}$$

의 원소의 개수라고 정의하자. 함수 $p(k)$를 구하고, 이 함수가 불연속인 k의 값을 모두 찾으시오. [10점]

<문제 2> 함수 $f(x)$와 $g(x)$가 실수 전체집합에서 미분가능하고 도함수 $f'(x)$와 $g'(x)$가 실수 전체집합에서 연속이다. 모든 자연수 n에 대하여 함수 $H(n)$을 다음과 같이 정의하자.

$$H(n) = \int_0^n f'(x)g(2n-x)dx - \int_n^{2n} g'(x)f(2n-x)dx$$

다음 질문에 답하시오. [총 25점]

(1) $f(0)=1$, $f(1)=2$, $g(1)=5$, $g(2)=-1$일 때, $H(1)$의 값을 구하시오. [5점]

(2) $f(x)=a^x$이고 $g(x)=\sin\dfrac{\pi}{4}$x일 때, $H(n)$을 n에 대한 식으로 나타내시오. (단, $a>0$, $a\neq1$이다.) [10점]

(3) 위의 $H(n)$에 대하여 $a=\dfrac{1}{\sqrt{2}}$일 때, 급수 $\displaystyle\sum_{n=1}^{\infty}\{H(4n-3)+H(4n-1)\}$의 합을 구하시오. [10점]

<문제 3> 중심이 A(0, 1)이고 원점 O(0, 0)을 지나는 원 C 위에 $\angle OAP_1 = \angle OAP_2 = \theta$ 인 두 점 P_1, P_2가 그림과 같이 놓여 있다. 다음 질문에 답하시오. (단, $0 < \theta < \dfrac{\pi}{2}$이다.) [총 25점]

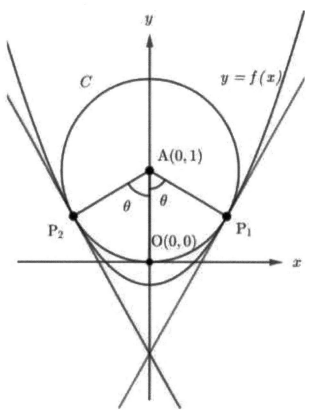

(1) 원 C와 $f(x) = ax^2 + bx + c$의 그래프가 두 점 P_1, P_2에서 만나고, 점 P_1, P_2에서 원 C의 접선과 곡선 $y = f(x)$의 접선이 일치한다. $\theta = \dfrac{\pi}{3}$일 때, 점 P_1에서 원 C의 접선의 방정식과 함수 $f(x)$를 구하시오. [8점]

(2) $\theta = \dfrac{\pi}{3}$일 때, 원 C와 곡선 $y = f(x)$로 둘러싸인 영역의 넓이를 구하시오. [10점]

(3) 원 C와 y축 위의 한 점에서 만나고, 원 C위의 점 P_1과 P_2에서의 두 접선에 모두 접하는 원 중 작은 원의 반지름을 r_1, 큰 원의 반지름을 r_2라 하자. $\dfrac{r_2}{r_1} = 4$일 때, $\cos\theta$의 값을 구하시오. [7점]

54

<문제 4> 다음 그림과 같이 A(0, 0), B(4, 4)를 연결하는 도로망이 주어졌다. 성신이는 지점 A에서 출발하여 지점 B로 도로망을 따라 최단 경로로 이동하고, 수정이는 지점 B에서 출발하여 지점 A로 도로망을 따라 최단 경로로 이동한다. 도로망에서 두 지점 사이의 거리는 도로망을 따라 이동할 수 있는 최단 경로의 길이로 정의한다. 예를 들면 두 지점 (1, 2)와 (3, 3)사이의 거리는 $|3-1|+|3-2|=3$이다. 다음 질문에 답하시오. (단, 두 사람은 동시에 출발하여 같은 속력으로 이동하고, 갈림길에서 가능한 다음 경로는 모두 같은 확률로 선택된다.) [총 25점]

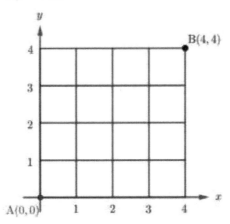

(1) 성신이와 수정이가 거리 4만큼 이동한 후 멈추었을 때, 서로 만날 확률을 구하시오. [7점]

(2) 성신이가 거리 3만큼 이동한 후 멈춘 지점을 P라 하고, 수정이가 거리 3만큼 이동한 후 멈춘 지점을 Q라 하자. 성신이 (지점 P)와 수정이 (지점 Q)사이의 거리를 확률변수 X라 할 때, X의 확률분포표를 구하시오. [10점]

(3) 위에서 구한 확률변수 X의 확률분포표로부터 X의 기댓값(평균)과 표준편차를 구하시오. [8점]

성신여자대학교
SUNGSHIN WOMEN'S UNIVERSITY

수시 논술 답안지

계열	자연계열

감독자 확인	

구분	● ②

수험생 작성란	
수험번호	생년월일

지원학과 (부, 전공)	

성명	

【문제 1】 반드시 해당문제의 답을 작성해야 함

【1-1】

【1-2】

【1-3】

【문제 2】 반드시 해당문제의 답을 작성해야 함

【2-1】

【2-2】

【2-3】

계열	**자연계열**
감독자 확인	
구분	① ●

지원학과 (부, 전공)	
성명	

【문제 3】 반드시 해당문제의 답을 작성해야 함

【3-1】

【3-2】

【3-3】

이 줄 아래에 답안을 작성하거나 낙서할 경우 판독이 불가능하여 채점 불가

58

【문제 4】 반드시 해당문제의 답을 작성해야 함

【4-1】

【4-2】

【4-3】

6. 2022학년도 성신여대 모의 논술

<문제 1> $N(x) = \left(\dfrac{1}{2}\right)^x \times \sin(\theta x) \times \sin\left(\dfrac{\pi}{2} - \theta x\right)$일 때, 다음 질문에 답하시오. [총25점]

(1) $\displaystyle \lim_{x \to 0} \dfrac{N(x)}{x}$를 구하시오. [7점]

(2) $\theta = \dfrac{\pi}{4}$일 때, 급수 $\displaystyle \sum_{n=1}^{\infty} |N(n)|$의 합을 구하시오. [8점]

(3) $\theta = \dfrac{\pi}{8}$일 때, 급수 $\displaystyle \sum_{n=1}^{20} \log_2\left(\left(\dfrac{1}{2}\right)^{n+1} + \cos(2\theta n) \times N(n)\right)$의 합을 구하시오. [10점]

<문제 2> 주어진 3차 함수 $f(x)=x^3+ax^2+bx+c$는 다음 조건을 만족한다.

가. 모든 실수 x에 대해 $f(-x)=-f(x)$

나. $\lim\limits_{x \to 2} \dfrac{f(x)}{x-2}=8$

질문에 답하시오. [총25점]

(1) $f(x)$를 구하시오. [5점]

(2) $y=f(x)$와 $y=2x^2+k$가 서로 다른 두 점에서 만날 k의 조건을 찾고, 이 중 $k<0$인 경우에 이 두 곡선으로 둘러싸인 영역의 넓이를 구하시오. [10점]

(3) 직선 $y=x$와 평행한 직선 중 곡선 $y=f(x)$와 접하는 두 직선과, 직선 $y=-x$와 평행한 직선 중 곡선 $y=f(x)$와 접하는 두 직선으로 둘러싸인 직사각형의 넓이를 구하시오. [10점]

<문제 3> 다음 질문에 답하시오. [총25점]

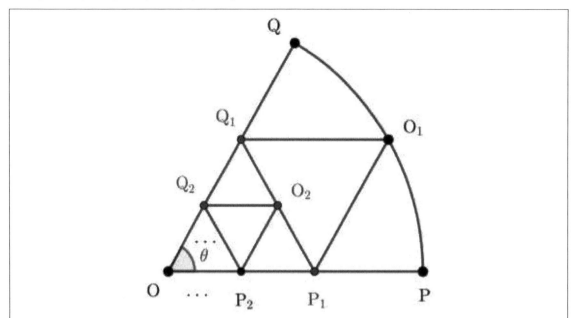

그림과 같이 반지름이 a이고 중심각이 θ인 부채꼴 POQ에 내접하는 정삼각형 $\triangle O_1 P_1 Q_1$의 꼭지점 중 호 PQ의 중점을 O_1, 선분 OP 위의 점을 P_1, 선분 OQ 위의 점을 Q_1이라 하자. 그리고 삼각형 $\triangle OP_1 Q_1$에 내접하는 정삼각형 $\triangle O_2 P_2 Q_2$의 꼭지점 중 선분 $P_1 Q_1$의 중점을 O_2, 선분 OP_1 위의 점을 P_2, 선분 OQ_1 위의 점을 Q_2라 하자. 이러한 작업은 무한히 반복할 수 있다. (단, $a > 0$이고 $0 < \theta < \pi$이다).

(1) 자연수 n에 대하여 정삼각형 $\triangle O_n P_n Q_n$의 한 변의 길이를 r_n이라 할 때, r_1, r_2의 값을 구하시오. [7점]

(2) 급수 $\displaystyle\sum_{n=1}^{\infty} r_n$의 합은 각 θ와 상관없이 일정함을 보이시오. [8점]

(3) 자연수 n에 대하여 정삼각형 $\triangle O_n P_n Q_n$의 넓이 A_n의 합 $\displaystyle\sum_{n=1}^{\infty} A_n$을 구하고 이 값은 $\dfrac{a^2}{\sqrt{3}}$보다 작음을 보이시오. [10점]

<문제 4> 다음 질문에 답하시오. [총25점]

(1) $f(x) = \log_2 x$, $g(x) = \log_4 x$이고 $n \in \{x \mid 1 \leq x \leq 10$인 자연수$\}$에 대하여 집합 A_n을
$$A_n = \{k \mid g(n) \leq k \leq f(n)$인 정수$\}$$

으로 정의할 때, $A_1 \cup A_2 \cup \cdots \cup A_{10}$의 원소 개수를 구하시오. [7점]

(2) N_k를 $k \log_n 2$가 자연수가 되는 2보다 크거나 같은 자연수 n의 개수라 할 때, $1 \leq k \leq 10$인 각각의 자연수 k에 대하여 N_k를 구하시오. [10점]

(3) 위 (2)의 N_k에 대하여 $\displaystyle\sum_{k=1}^{\infty} \frac{1}{k \cdot N_{2^{k+1}}}$의 값을 구하시오. [8점]

계열	**자연계열**
감독자 확인	
구분	● ②

수험생 작성란		
	수험번호	생년월일
지원학과 (부, 전공)		
성명		

【문제 1】 반드시 해당문제의 답을 작성해야 함

【1-1】

【1-2】

【1-3】

이 줄 아래에 답안을 작성하거나 낙서할 경우 판독이 불가능하여 채점 불가

【문제 2】 반드시 해당문제의 답을 작성해야 함

【2-1】

【2-2】

【2-3】

성신여자대학교
SUNGSHIN WOMEN'S UNIVERSITY

수시 논술 답안지

계열	자연계열
감독자 확인	
구분	① ●

【문제 3】 반드시 해당문제의 답을 작성해야 함

【3-1】

【3-2】

【3-3】

【문제 4】 반드시 해당문제의 답을 작성해야 함

【4-1】

【4-2】

【4-3】

7. 2021학년도 성신여대 수시 논술

<문제 1> 중심이 점 O이고 반지름의 길이가 1인 원에 내접하는 정n각형에서 이웃한 두 꼭짓점을 각각 P_n, Q_n이라고 하고, 점 O에서 선분 P_nQ_n에 내린 수선의 발을 R_n이라고 하자. 이 정n각형에 내접하는 원 O_n의 넓이를 a_n, 둘레의 길이를 b_n이라 하자. (단, n은 3 이상의 자연수)

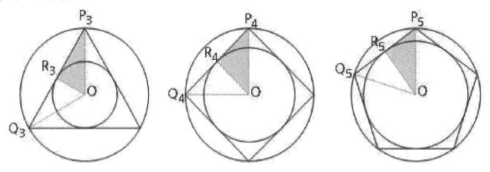

다음 물음에 답하시오. [총25점]

(1-1) 직각삼각형 OP_nR_n의 넓이를 구하시오. [7점]

(1-2) $b_6 - 2a_6$의 값을 구하시오. [6점]

(1-3) $\lim\limits_{n \to \infty} n^2(b_n - 2a_n)$을 구하시오. [12점]

<문제 2> 구간 $[0, 2]$에서 연속인 함수 $f(x)$에 대하여 $F(x) = \int_0^x f(t)dt$로 정의할 때 다음 조건이 모두 성립한다고 하자.

> (가) $1 \leq x \leq 2$이면 $f(x) \leq 4 - \cos \pi x$이다.
> (나) $0 \leq x \leq 1$이면 $f(x) = a \sin \pi x + b \cos \pi x$이다. (a, b는 상수)
> (다) $F(1) = 2$, $F(2) = 6$

다음 물음에 답하시오. [총25점]

(2-1) $f\left(\dfrac{3}{2}\right)$의 값을 구하시오. [10점]

(2-2) 상수 a, b의 값을 구하시오. [8점]

(2-3) $F\left(\dfrac{1}{2}\right) + F\left(\dfrac{3}{2}\right)$의 값을 구하시오. [7점]

<문제 3> 아래 그림과 같이 반지름의 길이가 2π인 원에 내접하는 정삼각형 ABC를 다음 세 조건을 만족하는 반지름의 길이가 r인 원의 호로 이루어진 길 위로 굴리려고 한다.

(가) 정수 n에 대하여 원 C_n은 x축 위에 차례대로 놓인 점 O_n을 중심으로 하고 반지름의 길이가 r인 원이고, 선분 O_nO_{n+1}의 길이는 n의 값과 관계없이 모두 같다.

(나) 원 C_n과 원 C_{n+1}의 두 교점 중 x축 위쪽에서 만나는 점을 P_n이라 할 때, 중심각의 크기가 π보다 작은 부채꼴 $O_nP_nP_{n-1}$의 호 $P_{n-1}P_n$의 길이는 정삼각형 ABC의 한 변 AB의 길이와 같다.

(다) 정삼각형 ABC의 한 꼭짓점 A가 점 P_0에 있을 때, 직선 AB는 원 C_1에 접하고, 직선 AC는 원 C_0에 접한다.

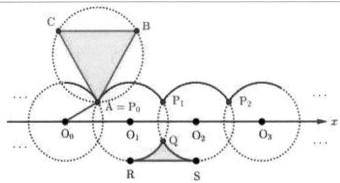

다음 물음에 답하시오. [총25점]

(3－1) 선분 AB의 길이와 반지름의 길이 r(선분 O_nP_n의 길이)를 구하시오. [12점]

(3－2) 조건 (가) (다)를 만족하는 원의 호로 이루어진 길을 따라 정삼각형 ABC가 한 바퀴 굴렀을 때 점 A가 점 A′으로 옮겨졌다. 선분 AA′의 길이를 구하시오. [5점]

(3－3) 위의 그림과 같이 원 C_1위의 점 R와 원 C_2위의 점 S를 연결한 직선이 두 원 C_1과 C_2에 동시에 접하고, 점 Q는 두 원 C_1과 C_2의 두 교점 중 P_1이 아닌 점이다. 선분 RS, 호 RQ, 호 QS로 둘러싸인 색칠된 도형의 넓이를 구하시오. [8점]

<문제 4> 다음 물음에 답하시오. [총25점]

(4-1) 좌표평면 위의 세 점 P(10, 0), Q(20, 0), R(0, 20)을 꼭짓점으로 하는 삼각형 PQR의 둘레와 내부에 놓여 있는 x, y좌표가 모두 정수인 점의 개수를 구하시오. [7점]

(4-2) 자연수 n에 대하여 좌표평면 위의 네 점 A(n, 0), B(0, n), C($-n$, 0), D(0, $-n$)을 꼭짓점으로 하는 정사각형 ABCD의 둘레와 내부에 놓여 있는 x, y좌표가 모두 정수인 점의 개수를 $N(n)$이라 할 때, $\displaystyle\sum_{k=1}^{11} N(k)$의 값을 구하시오. [8점]

(4-3) $x+y+z=20$을 만족하는 자연수 x, y, z에 대하여 x는 홀수, y는 짝수, z는 소수인 순서쌍 (x, y, z)의 개수를 구하시오. [10점]

수시 논술 답안지

수험생 작성란		
	수험번호	생년월일

계열	**자연계열**
감독자 확인	
구분	● ②

지원학과 (부, 전공)	
성명	

【문제 1】 반드시 해당문제의 답을 작성해야 함

【1-1】

【1-2】

【1-3】

이 줄 아래에 답안을 작성하거나 낙서할 경우 판독이 불가능하여 채점 불가

【문제 2】반드시 해당문제의 답을 작성해야 함

【2-1】

【2-2】

【2-3】

계열	자연계열
감독자 확인	
구분	① ●

	수험번호	생년월일
지원학과 (부, 전공)		
성명		

【문제 3】 반드시 해당문제의 답을 작성해야 함

【3-1】

【3-2】

【3-3】

이 줄 아래에 답안을 작성하거나 낙서할 경우 판독이 불가능하여 채점 불가

【문제 4】 반드시 해당문제의 답을 작성해야 함

【4-1】

【4-2】

【4-3】

8. 2021학년도 성신여대 모의 논술

<문제 1> 실수 a와 이차함수 $f(x) = x^2 - 2ax + 2a$에 대하여 구간 $1 \le x \le 2$에서의 $|f(x)|$의 최댓값을 $M(a)$라고 할 때, 다음 물음에 답하시오. [총25점]

(1) $a \le 1$일 때, $M(a)$를 a에 대한 식으로 나타내시오. [5점]

(2) $1 < a$일 때, $M(a)$를 a에 대한 식으로 나타내시오. [12점]

(3) 10이상의 자연수 n에 대하여 $\displaystyle\sum_{k=1}^{n} M(k-7)$을 구하시오. [8점]

<문제 2> 함수 $f(x) = \sqrt{x}$의 그래프 위의 두 점 $(a, f(a))$와 $(b, f(b))$를 지나는 직선과 같은 기울기를 가지는 접선의 접점의 x좌표를 c라고 할 때, 다음 물음에 답하시오. 단, $0 < a < c < b$이다. [총25점]

(1) $b - a = h$로 두고, c를 a와 h에 대한 식으로 나타내시오. [8점]

(2) $\lim\limits_{b \to a} \dfrac{c-a}{b-a}$의 값을 구하시오. [7점]

(3) $b = 4a$라고 하고, 구간 $[a, b]$와 곡선 $y = f(x)$사이의 넓이를 S, 네 점 $(a, 0), (c, 0)$ $(c, f(c)), (a, f(a))$를 꼭짓점으로 하는 사다리꼴의 넓이를 S_1, 네 점 $(c, 0), (b, 0),$ $(b, f(b)), (c, f(c))$를 꼭짓점으로 하는 사다리꼴의 넓이를 S_2라고 할 때, $S : (S_1 + S_2)$를 정수의 비율로 나타내시오. [10점]

<문제 3> 반지름의 길이가 1인 원에 내접하는 정육각형의 꼭짓점을 그림과 같이 반시계 방향으로 A_0, B_0, C_0, D_0, E_0, F_0라 하자. 그리고 그림과 같이 $\overline{A_0C_0}$와 $\overline{B_0D_0}$의 교점을 A_1, $\overline{B_0D_0}$과 $\overline{C_0E_0}$의 교점을 B_1, $\overline{C_0E_0}$와 $\overline{D_0F_0}$의 교점을 C_1, $\overline{D_0F_0}$와 $\overline{E_0A_0}$의 교점을 D_1, $\overline{E_0A_0}$와 $\overline{F_0B_0}$의 교점을 E_1, $\overline{F_0B_0}$와 $\overline{A_0C_0}$의 교점을 F_1이라 하자. [총25점]

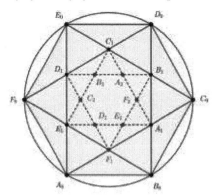

(1) $\overline{A_0B_0}$, $\overline{A_0C_0}$, $\overline{A_0D_0}$의 길이와 삼각형 $A_0C_0E_0$의 넓이를 각각 구하시오. [7점]

(2) 정육각형 $A_0B_0C_0D_0E_0F_0$의 넓이와 정육각형 $A_1B_1C_1D_1E_1F_1$의 넓이의 차를 구하시오. [8점]

(3) 자연수 n에 대하여 위의 과정을 n번 반복하여 얻어지는 정육각형의 꼭짓점을 위의 그림과 같이 순서대로 각각 A_n, B_n, C_n, D_n, E_n, F_n이라 할 때, $\displaystyle\lim_{n\to\infty}\sum_{k=0}^{n}\overline{A_kA_{k+1}}$을 구하시오. [10점]

<문제 4> 자연수 n에 대하여 $A(0, 0)$, $B(n, 0)$, $C(n, n)$, $D(0, n)$을 꼭짓점으로 갖는 정사각형 ABCD의 네 변과 $1 \leq k \leq n-1$을 만족하는 자연수 k에 대하여 점 $(0, k)$와 점 (n, k)를 연결하는 x축에 평행한 $(n-1)$개의 선분, 점 $(k, 0)$과 점 $(k, n-k)$를 연결하는 y축에 평행한 $(n-1)$개의 선분을 추가하여 오른쪽 그림과 같은 도로망을 만들었다. (그림은 $n = 6$인 경우의 예시임) [총25점]

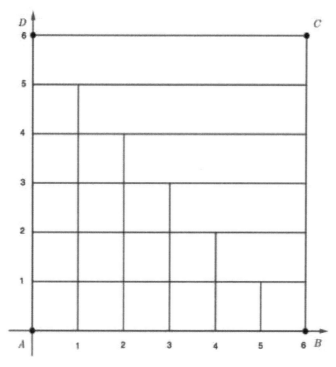

(1) 자연수 n에 대하여 A에서 C로 가는 최단 경로의 수를 n에 대한 식으로 표현하시오. [8점]

(2) 주어진 도로망에 놓여 있는 한 변의 길이가 k인 정사각형의 개수를 a_k라 할 때, 위의 그림과 같이 $n = 6$인 경우 $1 \leq k \leq 6$인 자연수 k에 대해 a_k를 각각 구하시오. [5점]

(3) 주어진 자연수 n에 대해 $\displaystyle\sum_{k=1}^{n} a_k$를 n에 대한 식으로 표현하시오. [12점]

수시 논술 답안지

계열	자연계열
감독자 확인	
구분	● ②

【문제 1】 반드시 해당문제의 답을 작성해야 함

【1-1】

【1-2】

【1-3】

이 줄 아래에 답안을 작성하거나 낙서할 경우 판독이 불가능하여 채점 불가

80

【문제 2】반드시 해당문제의 답을 작성해야 함

【2-1】

【2-2】

【2-3】

계열	자연계열
감독자 확인	
구분	① ●

【문제 3】 반드시 해당문제의 답을 작성해야 함

【3-1】

【3-2】

【3-3】

【문제 4】 반드시 해당문제의 답을 작성해야 함

【4-1】

【4-2】

【4-3】

VI. 예시 답안
1. 2024학년도 성신여대 모의 논술

<문제 1> 함수 $f(x) = x^3 - 3x^2$에 대하여 다음 물음에 답하시오. [총 25점]

(1) x축 위의 점 $(a, 0)$에서 곡선 $y = f(x)$에 그을 수 있는 접선의 개수가 1인 실수 a의 범위를 구하시오. [7점]

(2) x축 위의 점 $(a, 0)$에서 곡선 $y = f(x)$에 그은 모든 접선에 대하여 접점들의 x좌표의 합이 1이 되는 실수 a의 값을 모두 구하시오. [10점]

(3) y축 위의 점 $(0, b)$에서 곡선 $y = f(x)$에 그을 수 있는 접선의 개수가 3인 실수 b의 범위를 구하시오. [8점]

---

(1)

곡선 $y = f(x)$ 위의 점 $(t, f(t))$에서의 접선의 방정식은 $y - (t^3 - 3t^2) = (3t^2 - 6t)(x - t)$, 즉 $y = (3t^2 - 6t)x - 2t^3 + 3t^2$ 이다.

접선이 $(a, 0)$을 지나므로 $0 = (3t^2 - 6t)a - 2t^3 + 3t^2 = -t(2t^2 - 3(a+1)t + 6a)$을 만족하는 t가 접점의 x좌표이다.

$t = 0$이 접점의 x좌표이고, $t = 0$이 이차방정식 $2t^2 - 3(a+1)t + 6a = 0$의 중근이 될 수 없으므로, 접선의 개수가 1이려면 이차방정식 $2t^2 - 3(a+1)t + 6a = 0$의 실근이 없어야 한다. 이 이차방정식의 판별식이 $D = 9(a+1)^2 - 48a = 9a^2 - 30a + 9 = 3(3a-1)(a-3)$이므로 접선의 개수가 1이려면 $D < 0$으로부터 $\frac{1}{3} < a < 3$이다.

(2)

접점의 x좌표 t는 $-t(2t^2 - 3(a+1)t + 6a)t = 0$을 만족하는데, $t = 0$은 접점의 x좌표의 합에 영향을 주지 않는다.

따라서 $2t^2 - 3(a+1)t + 6a = 0$을 만족하는 접점의 x좌표 t를 살펴보면 된다. 이 이차방정식의 판별식이 $D = 3(3a-1)(a-3)$이므로

$a < \frac{1}{3}$ 또는 $a > 3$일 때 $D > 0$이며

이차식의 서로 다른 두 실근의 합 $\frac{3}{2}(a+1)$이 1이 되는 a의 값은 $a = -\frac{1}{3}$이다.

$a = \frac{1}{3}$일 때는 $D = 0$이고, $2t^2 - 4t + 2 = 2(t-1)^2 = 0$에서 $t = 1$이 중근이므로 접점의 x좌표의 합이 1이다.

$a = 3$일 때는 $D = 0$이고, $2t^2 - 12t + 18 = 2(t-3)^2 = 0$에서 $t = 3$이 중근이므로 접점의 x좌표의 합이 1이 아니다.

따라서 문제의 조건을 만족하는 a의 값은 $a=-\dfrac{1}{3}$과 $a=\dfrac{1}{3}$이다.

(3)

곡선 $y=f(x)$위의 점 $(t,\ f(t))$에서의 접선의 방정식 $y=\left(3t^2-6t\right)x-2t^3+3t^2$이 $(0,\ b)$를 지나므로 $-2t^3+3t^2=b$의 서로 다른 근의 개수가 3인 b의 범위를 찾으면 된다.

$g(t)=-2t^3+3t^2$라 할 때, $g'(t)=-6t^2+6t=-6t(t-1)$이므로 $y=g(t)$의 그래프의 증감을 표로 나타내면 오른쪽과 같다.

t	$\cdots$	0	$\cdots$	1	$\cdots$
$g'(t)$	$-$	0	$+$	0	$-$
$g(t)$	$\searrow$	0	$\nearrow$	1	$\searrow$

이를 바탕으로 $y=g(t)$의 그래프의 개형을 그리면 그림과 같다.

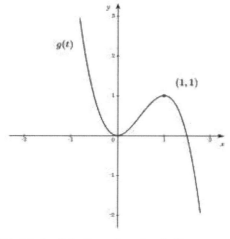

따라서 $g(t)=b$의 서로 다른 근의 개수가 3인 b의 범위는 $0<b<1$이다.

<문제 2> 다음 물음에 답하시오. [총 25점]

(1) 좌표 평면 위에 한 변의 길이가 $\sqrt{3}$인 두 정삼각형 ABC, DEF가 다음 그림과 같이 변 AB와 변 DE는 x축에 수직이고, 꼭짓점 C, F는 x축 위에 있으며, F의 x좌표가 0이 되도록 놓여 있다. 실수 t에 대하여 점 C의 x좌표를 t라 할 때, 두 정삼각형의 내부의 공통부분으로 이루어진 도형의 넓이 $f(t)$를 t에 대한 식으로 표현하시오. (단, $0<t<3$이다.) [10점]

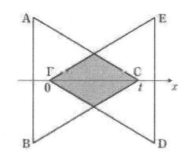
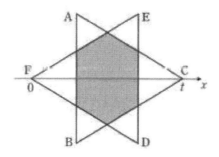

(2) (1)에서 구한 식으로부터 함수 $f(t)$의 최댓값을 구하고, 함수 $f(t)$가 최대일 때 두 정삼각형의 내부의 공통부분으로 이루어진 도형이 둘레의 길이를 구하시오. [7점]

(3) 다음 그림과 같이 한 변의 길이가 1인 정육각형 $A_1B_1C_1D_1E_1F_1$에 놓인 두 삼각형 $A_1C_1E_1$과 $B_1D_1F_1$의 내부로 이루어진 도형에서 이 두 삼각형의 내부의 공통부분인 정육각형 $A_2B_2C_2D_2E_2F_2$의 내부를 뺀 도형의 넓이를 S_1이라 하고, 정육각형 $A_2B_2C_2D_2E_2F_2$에 놓인 두 삼각형 $A_2C_2E_2$와 $B_2D_2F_2$의 내부로 이루어진 도형에서 이 두 삼각형의 내부의 공통부분인 정육각형 $A_3B_3C_3D_3E_3F_3$의 내부를 뺀 도형의 넓이를 S_2라 하자. 이와 같은 과정을 계속하여 n번째 얻은 도형의 넓이를 S_n이라 할 때, $\sum\limits_{n=1}^{\infty} S_n$을 구하시오. [8점]

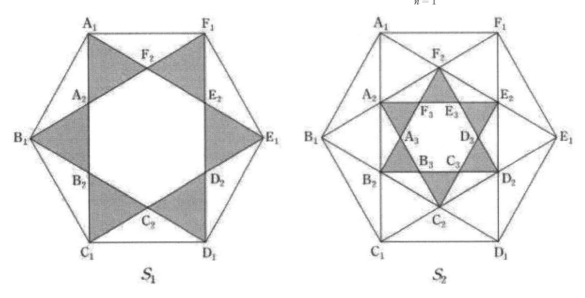

(1)

$0 < t \le \dfrac{3}{2}$인 경우: 두 정삼각형의 내부의 공통부분으로 이루어진 도형은 마름모이고, 이 마름모는 2개의 높이가 $\dfrac{t}{2}$인 정삼각형으로 나누어지므로 이의 넓이는

$$f(t) = 2 \times \frac{t}{2} \times \frac{1}{\sqrt{3}} \times \frac{t}{2} = \frac{t^2}{2\sqrt{3}}$$

이다.

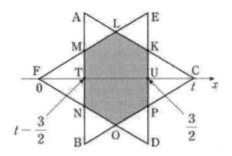

$\dfrac{3}{2} < t < 3$인 경우: 두 사다리꼴 MNOL과 LOPK의 면적의 합을 구하면 된다.

$\overline{\text{MN}} = \dfrac{2t-3}{\sqrt{3}}$, $\overline{\text{LO}} = \dfrac{t}{\sqrt{3}}$ 이고 사다리꼴의 높이는 $\dfrac{3-t}{2}$ 이므로 육각형 KLMNOP의

넓이는

$$\dfrac{\left(\dfrac{2t-3}{\sqrt{3}} + \dfrac{t}{\sqrt{3}}\right)}{2} \times \dfrac{(3-t)}{2} \times 2$$

이다.

정리하면 $\dfrac{3}{2} < t < 3$인 경우 육각형 KLMNOP의 넓이는 $f(t) = -\dfrac{\sqrt{3}}{2}(t^2 - 4t + 3)$이다.

그러므로 $f(t) = \begin{cases} \dfrac{t^2}{2\sqrt{3}}, & 0 < t \le \dfrac{3}{2} \\ -\dfrac{\sqrt{3}}{2}(t^2 - 4t + 3), & \dfrac{3}{2} < t < 3 \end{cases}$ 이다.

(2)

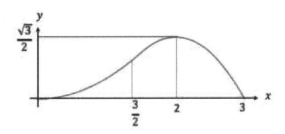

$f(t) = \begin{cases} \dfrac{t^2}{2\sqrt{3}}, & 0 < t \le \dfrac{3}{2} \\ -\dfrac{\sqrt{3}}{2}(t^2 - 4t + 3), & \dfrac{3}{2} < t < 3 \end{cases}$ 의 그래프는 $0 < t \le \dfrac{3}{2}$에서 증가함수이고

$f\left(\dfrac{3}{2}\right) = \dfrac{3\sqrt{3}}{8}$이다.

$\dfrac{3}{2} < t < 3$ 일 때

$$f(t) = -\dfrac{\sqrt{3}}{2}(t^2 - 4t + 3) = -\dfrac{\sqrt{3}}{2}\left((t-2)^2 - 1\right)$$

이므로 $t = 2$일 때, 극댓값 $\dfrac{\sqrt{3}}{2}$ 을 갖는다. 따라서 이 함수의 최댓값은 $\dfrac{\sqrt{3}}{2}$이다.

이때 6개의 삼각형 MFN, NBO, ODP, PCK, KEL, LAM은 모두 높이가 $\dfrac{1}{2}$인 정삼각형

이므로, 함수가 최대가 될 때의 도형은 한 변의 길이가 $\dfrac{\sqrt{3}}{3}$인 정육각형이다. 따라서 둘레

의 길이는 $2\sqrt{3}$이다.

한 변의 길이가 a인 정육각형의 넓이는 $6 \times \left(\dfrac{\sqrt{3}\,a^2}{4}\right) = \dfrac{3\sqrt{3}}{2}a^2$이고, $\overline{A_{n+1}B_{n+1}} = \dfrac{\overline{A_n B_n}}{\sqrt{3}}$

이다. S_1은 한 변의 길이가 $\overline{A_2 B_2} = \dfrac{1}{\sqrt{3}}$인 정삼각형 6개의 넓이의 합이므로 $S_1 = \dfrac{\sqrt{3}}{2}$이

다. S_2는 한 변의 길이가 $\overline{A_3 B_3} = \dfrac{\overline{A_2 B_2}}{\sqrt{3}} = \dfrac{1}{3}$인 정삼각형 6개의 합이므로 정육각형

$A_3 B_3 C_3 D_3 E_3 F_3$의 넓이와 같고 따라서 $S_2 = \dfrac{\sqrt{3}}{6}$이다. 수열 S_n은 $S_1 = \dfrac{\sqrt{3}}{2}$이고 공비가 $\dfrac{1}{3}$

인 등비수열이므로 $\displaystyle\sum_{n=1}^{\infty} S_n = \lim_{n \to \infty} \dfrac{\dfrac{\sqrt{3}}{2}(1 - (1/3)^n)}{1 - (1/3)} = \dfrac{3\sqrt{3}}{4}$이다.

<문제 3> 그림과 같이 자연수 n과 원점 O, 점 A(0, 1)에 대하여 직선 $y = nx$ 위에 $\overline{OB_n} : \overline{OC_n} = 2 : 1$이면서 $\angle OAB_n = \angle OAC_n$이 되도록 제 3사분면의 점 B_n과 제 1사분면의 점 C_n을 잡는다. $\angle OAB_n = \theta_n$, $\angle AOC_n = \alpha_n$이라 하자. $\left(0 < \theta_n < \dfrac{\pi}{2},\ 0 < \alpha_n < \dfrac{\pi}{2}\right)$ 다음 물음에 답하시오. [총 25점]

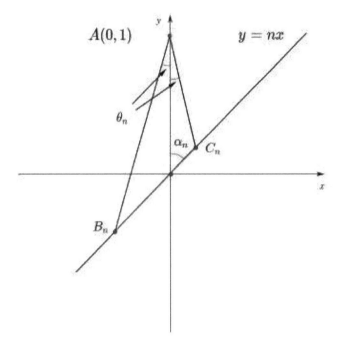

(1) $\sin\alpha_n$과 $\tan\alpha_n$을 각각 n에 대한 식으로 나타내시오. [5점]

(2) $\displaystyle\lim_{n \to \infty} \dfrac{\theta_n}{\alpha_n}$을 구하시오. [10점]

(3) 삼각형 $AB_n C_n$의 넓이를 S_n라 할 때, $\displaystyle\sum_{n=1}^{\infty} S_n S_{n+1}$의 값을 구하시오. [10점]

(1)

직선 $y = nx$ 위에서 예를 들어 한 점 $P_n(1, n)$을 잡으면 y축 위의 점 $Q_n(0, n)$에 대하여 삼각형 OP_nQ_n은 직각삼각형이다. 따라서 $\tan \alpha_n = \dfrac{\overline{Q_nP_n}}{\overline{OQ_n}} = \dfrac{1}{n}$이다. 삼각형의 빗변의 길이는 $\sqrt{n^2 + 1}$이므로 $\sin \alpha_n = \dfrac{\overline{Q_nP_n}}{\overline{OP_n}} = \dfrac{1}{\sqrt{n^2 + 1}}$이다.

(2)

$\overline{OB_n} : \overline{OC_n} = 2 : 1$이므로, C_n의 x좌표를 t_n으로 두면 $C_n(t_n, nt_n)$이고, B_n의 좌표는 $B_n(-2t_n, -2nt_n)$으로 쓸 수 있다. B_n에서 y축에 내린 수선과 y축이 만나는 점을 D_n, C_n에서 y축에 내린 수선과 y축이 만나는 점을 E_n이라 하면 직각삼각형 AB_nD_n에서 $\tan \theta_n = \dfrac{2t_n}{1 + 2nt_n}$이고, 직각삼각형 AC_nE_n에서 $\tan \theta_n = \dfrac{t_n}{1 - nt_n}$이다.

$\dfrac{2t_n}{1 + 2nt_n} = \dfrac{t_n}{1 - nt_n}$로부터 $t_n = \dfrac{1}{4n}$을 얻고, $\tan \theta_n = \dfrac{1}{3n}$이다. $0 < \theta_n < \theta_n + \angle AB_nO = \alpha_n$이고 $\lim\limits_{n \to \infty} \alpha_n = 0$이므로 $\lim\limits_{n \to \infty} \theta_n = 0$이다. 따라서 구하는 극한값은

$$\lim_{n \to \infty} \frac{\tan \alpha_n}{\alpha_n} = 1, \quad \lim_{n \to \infty} \frac{\theta_n}{\tan \theta_n} = 1, \quad \lim_{n \to \infty} \frac{\tan \theta_n}{\tan \alpha_n} = \lim_{n \to \infty} \frac{1/3n}{1/n} = \frac{1}{3}$$

이므로

$$\lim_{n \to \infty} \frac{\theta_n}{\alpha_n} = \lim_{n \to \infty} \frac{\tan \alpha_n}{\alpha_n} \cdot \frac{\theta_n}{\tan \theta_n} \cdot \frac{\tan \theta_n}{\tan \alpha_n} = \frac{1}{3}$$

이다.

(3)

$t_n = \dfrac{1}{4n}$을 이용하면 $B_n\left(-\dfrac{1}{2n}, -\dfrac{1}{2}\right)$, $C_n\left(\dfrac{1}{4n}, \dfrac{1}{4}\right)$로 주어진다. 삼각형 OAB_n의 넓이는 $\dfrac{1}{2} \cdot \overline{OA} \cdot \overline{B_nD_n} = \dfrac{1}{2} \cdot 1 \cdot \dfrac{1}{2n} = \dfrac{1}{4n}$이고, 삼각형 OAC_n의 넓이는 $\dfrac{1}{2} \cdot \overline{OA} \cdot \overline{C_nE_n} = \dfrac{1}{2} \cdot 1 \cdot \dfrac{1}{4n} = \dfrac{1}{8n}$이다. 두 삼각형의 넓이를 더하여 삼각형 AB_nC_n의 넓이는 $S_n = \dfrac{1}{4n} + \dfrac{1}{8n} = \dfrac{3}{8n}$이다. 문제에서 제시한 급수의 값을 구하면

$$\sum_{n=1}^{\infty} S_n S_{n+1} = \sum_{n=1}^{\infty} \frac{3}{8n} \cdot \frac{3}{8(n+1)}$$

$$= \lim_{n \to \infty} \sum_{k=1}^{n} \frac{3}{8k} \cdot \frac{3}{8(k+1)} = \frac{9}{64} \lim_{n \to \infty} \sum_{k=1}^{n} \left(\frac{1}{k} - \frac{1}{k+1} \right) = \frac{9}{64} \lim_{n \to \infty} \left(1 - \frac{1}{n+1} \right) = \frac{9}{64}$$

이다.

<문제 4> 함수 $f(x)$가 모든 실수에서 미분가능하며, $f'(x)$가 모든 실수에서 연속이고, $f(x)$가 다음 조건을 모두 만족시킨다.

> (가) 모든 실수 x에 대하여 $f(x) + f(-x) = 4$
>
> (나) 모든 실수 x에 대하여 $f(x+2) = f(x)$
>
> (다) $\displaystyle\int_0^1 xf'(x)dx = 1$

다음 물음에 답하시오. [총 25점]

(1) 방정식 $f'(x) = 0$의 서로 다른 실근이 열린구간 $(-1, 1)$에 두 개 이상 존재함을 보이시오. [7점]

(2) 함수 $h(x) = f(x) - 2$에 대하여 $\displaystyle\int_0^1 h(x)dx$의 값을 구하시오. [8점]

(3) $\displaystyle\int_4^9 f(x)dx$의 값을 구하시오. [10점]

---

(1)

 조건 (가)로부터 $f(0) + f(0) = 4$이므로 $f(0) = 2$이다.

또 조건 (가)로부터 $f(1) + f(-1) = 4$이고,

그리고 조건 (나)로부터 $f(1) = f(-1+2) = f(-1)$이므로

$f(1) = f(-1) = 2$이다.

즉 $f(-1) = f(0) = f(-1) = 2$

따라서 롤의 정리에 의하여 $f'(x) = 0$의 근이 열린구간 $(-1, 0)$과 $(0, 1)$에 각각 하나 이상 존재한다. 그러므로 $f'(x) = 0$의 서로 다른 실근이 열린구간 $(-1, 1)$에 두 개 이상 존재한다.

(2)

$h'(x) = f'(x)$이므로 조건 (다)에서

$$\int_0^1 xf'(x)dx = \int_0^1 xh'(x)dx = 1$$

이다.

이제 부분적분법을 이용하면

$$\int_0^1 xh'(x)dx = [xh(x)]_0^1 - \int_0^1 h(x)dx$$

여기에서 $h(1) = f(1) - 2 = 0$이므로

$$\int_0^1 xh'(x)dx = h(1) - \int_0^1 h(x)dx = 0 - \int_0^1 h(x)dx$$

따라서 $\displaystyle\int_0^1 xh'(x)dx = 1$로부터 $\displaystyle\int_0^1 h(x)dx = -1$이다.

(3)

$f(x) = h(x) + 2$**이므로**

$$\int_4^9 f(x)dx = \int_4^9 \{h(x) + 2\}dx = 10 + \int_4^9 h(x)dx$$

이고 조건 (나)로부터 실수 x**에 대하여** $h(x+2) = h(x)$**이므로**

$$\int_4^9 h(x)dx = \int_4^5 h(x)dx + \int_5^7 h(x)dx + \int_7^9 h(x)dx$$

$$= \int_0^1 h(x)dx + \int_{-1}^1 h(x)dx + \int_{-1}^1 h(x)dx$$

조건 (가)로부터 모든 실수 x**에 대하여** $f(x) - 2 = -\{f(-x) - 2\}$**, 즉** $h(x) = -h(-x)$**이므로, 함수** $h(x)$**의 그래프는 원점에 대하여 대칭이다.**

따라서 $\displaystyle\int_{-1}^1 h(x)dx = 0$**이다.**

그러므로 $\displaystyle\int_4^9 h(x)dx = \int_0^1 h(x)dx + 0 + 0 = -1$**이다.**

따라서 $\displaystyle\int_4^9 f(x)dx = 10 - 1 = 9$**이다.**

2. 2024학년도 성신여대 모의 논술

<문제 1> 실수 t에 대한 함수 $f(t) = e^{1+t} - 2t$와 좌표평면의 곡선 $\ln(e - 1 + x^2 + y^2) = 1 + y$에 대하여 다음 물음에 답하시오.

(1) [7점] 모든 실수 t에 대하여 $f(t) > 0$임을 보이시오.

(2) [10점] 좌표평면의 곡선 $\ln(e - 1 + x^2 + y^2) = 1 + y$가 y축과 단 한 점에서 만나며, 그 점의 y좌표는 $-1 < y < 0$인 범위에 있음을 보이시오.

(3) [8점] 좌표평면의 곡선 $\ln(e - 1 + x^2 + y^2) = 1 + y$가 직선 $y = 1$과 만나는 점을 A$(a, 1)$이라 할 때, 점 A$(a, 1)$에서의 이 곡선에 대한 접선의 기울기를 구하시오. (단, $a > 0$)

(1)

$f(t) = e^{1+t} - 2t$**에 대하여** $f'(t) = e^{1+t} - 2$**이다.**

$t = -1 + \ln 2$**에서** $f'(t) = 0$**이며**

$t < -1 + \ln 2$**일 때** $f'(t) < 0$**이고,** $t > -1 + \ln 2$**일 때** $f'(t) > 0$**이다.**

따라서 $f(t)$**는** $t = -1 + \ln 2$**에서**

최솟값 $f(-1 + \ln 2) = 2 - 2(-1 + \ln 2) = 4 - 2\ln 2 > 0$**을 가진다.**

따라서 모든 실수 t**에 대하여** $f(t) > 0$**이다**

(2)

주어진 곡선이 y**축과 만나는 점의** y**좌표는** $\ln(e - 1 + y^2) = 1 + y$**로부터**

$e-1+y^2=e^{1+y}$, 즉 방정식 $e^{1+y}-e+1-y^2=0$의 근이다.

이때 $g(y)=e^{1+y}-e+1-y^2$도 두면 함수 $g(y)$는 y에 대하여 실수 전체에서 연속이며 미분가능한 함수이다.

$g(-1)=1-e<0$이고, $g(0)=1>0$이므로

사잇값 정리에 의하여 $-1<k<0$이며 $g(k)=0$을 만족하는 실수 k가 존재한다.

(1)의 결과로부터 모든 실수 y에 대하여 $g'(y)=f(y)=e^{1+y}-2y>0$이므로 $g(k)=0$을 만족하는 실수 k는 단 하나뿐이다.

따라서 주어진 곡선은 y축과 단 한 점에서 만나며, 그 점의 y좌표는 $-1<y<0$인 범위에 있다.

(3)

곡선이 직선 $y=1$과 만나는 점의 x좌표는 $\ln(e+x^2)=2$로부터 $x^2=e^2-e$이므로 $a=\sqrt{e^2-e}$이다.

주어진 곡선에 대하여 음함수의 미분을 구하면 $\dfrac{2x+2yy'}{e-1+x^2+y^2}=y'$이다.

$\mathrm{A}\!\left(\sqrt{e^2-e},\,1\right)$에서의 접선의 기울기는 $\dfrac{2\sqrt{e^2-e}+2y'}{e^2}=y'$으로부터 $2\sqrt{e^2-e}=(e^2-2)y'$이므로 $\mathrm{A}\!\left(\sqrt{e^2-e},\,1\right)$에서 접선의 기울기는 $y'=\dfrac{2\sqrt{e^2-e}}{e^2-2}$이다.

<문제 2> 아래 그림과 같이 원점 O를 중심으로 하고 반지름이 $\sqrt{n(n+1)}$인 원을 $C_n\,(n=1,\ 2,\ \cdots)$이라 하자. 원 C_n이 $y=\sqrt{x}$의 그래프와 만나는 점을 P_n, 점 P_n에서 원 C_n에 접하는 직선과 원 C_{n+1}이 만나는 두 점을 각각 Q_n, R_n이라 하고, $\theta_n=\angle \mathrm{Q}_n\mathrm{OR}_n$이라 하자. (단, Q_n의 x좌표는 R_n의 x좌표보다 작고, $0<\theta_n<\pi$이다.)

다음 물음에 답하시오.

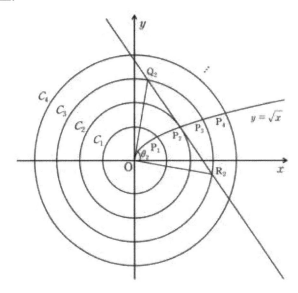

(1) [7점] P_n의 좌표를 구하시오.

(2) [9점] 모든 자연수 n에 대하여 Q_n과 R_n의 x좌표의 차는 $2\sqrt{2}$임을 보이시오.

(3) [9점] $\cos\theta_n$을 n에 대한 식으로 나타내고, $\displaystyle\lim_{n\to\infty}\cos\theta_n$의 값을 구하시오.

---

(1)

원 C_n의 방정식은 $x^2+y^2=n(n+1)$이다.

$y=\sqrt{x}$를 원의 방정식에 대입하면 $x^2+x-n(n+1)=0$

$(x-n)(x+n+1)=0$이므로 $x=n$ 또는 $x=-n-1$이다.

$x>0$이므로 $x=n$을 $y=\sqrt{x}$에 대입하면 교점은 $P_n(n,\ \sqrt{n})$이다.

(2)

원 C_n 위의 점 $P_n(n,\ \sqrt{n})$에서의 접선의 기울기는 $-\dfrac{n}{\sqrt{n}}=-\sqrt{n}$이므로

접선의 방정식은 $y=-\sqrt{n}(x-n)+\sqrt{n}$, 즉 $y=-\sqrt{n}\,x+\sqrt{n}(n+1)$이다.

원 C_{n+1}의 방정식은 $x^2+y^2=(n+1)(n+2)$이다.

$y=-\sqrt{n}\,x+\sqrt{n}(n+1)$를 대입하여 정리하면 $x^2-2nx+n^2=2$이다.

따라서 $x=n\pm\sqrt{2}$이고, 접선이 원 C_{n+1}와 만나는 두 점 Q_n과 R_n의 x좌표의 차는 $2\sqrt{2}$이다.

(3)

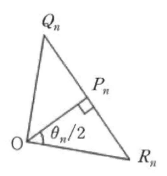

원 C_{n+1}에서 $\overline{OQ_n}=\overline{OR_n}$이고, 원 C_n에서 $\overline{OP_n}\perp\overline{Q_nR_n}$이므로 $\angle P_nOR_n=\dfrac{\theta_n}{2}$이다.

$$\cos\frac{\theta_n}{2}=\frac{\overline{OP_n}}{\overline{OR_n}}=\frac{\sqrt{n(n+1)}}{\sqrt{(n+1)(n+2)}}=\frac{\sqrt{n}}{\sqrt{n+2}}$$

$$\cos\theta_n=2\left(\cos\frac{\theta_n}{2}\right)^2-1=\frac{2n}{n+2}-1=\frac{n-2}{n+2}$$

$$\lim_{n\to\infty}\cos\theta_n=\lim_{n\to\infty}\frac{n-2}{n+2}=1$$

<문제 3> $f(1)=-1$인 다항함수 $f(x)$에 대하여 $\lim\limits_{x \to 1}\dfrac{\{f(x)\}^3+1}{x^2-1}=3$이 성립하고, 구간

$(0,\ 2)$에서 $g(x)\neq 0$인 다항함수 $g(x)$에 대하여 $\lim\limits_{x \to 1}\dfrac{(e^x-e)\{f(x)+g(x)\}}{(x-1)^2 g(x)}=2$가 성립할

때, 다음 물음에 답하시오.

(1) [8점] $f'(1)$의 값을 구하시오.

(2) [10점] 구간 $(0,\ 2)$에서 함수 $h(x)$를 $h(x)=\dfrac{f(x)}{g(x)}$로 정의할 때, $h'(1)$의 값을 구하시오.

(3) [7점] 함수 $k(x)$를 $k(x)=f(g(x))$로 정의할 때, $k'(1)$의 값을 구하시오.

---

(1)

$\lim\limits_{x \to 1}\dfrac{\{f(x)\}^3+1}{x^2-1}=\lim\limits_{x \to 1}\dfrac{(\{f(x)\}^2-f(x)+1)(f(x)+1)}{(x+1)(x-1)}=3$이다.

$f(x)$가 다항함수이므로 $f'(1)=\lim\limits_{x \to 1}\dfrac{f(x)-f(1)}{x-1}=\lim\limits_{x \to 1}\dfrac{f(x)+1}{x-1}$의 값이 존재한다.

따라서 $\lim\limits_{x \to 1}\dfrac{\{f(x)\}^2-f(x)+1}{x+1}\times\lim\limits_{x \to 1}\dfrac{f(x)-f(1)}{x-1}$이므로

$3=\dfrac{3}{2}f'(1)$로부터 $f'(1)=2$이다.

(2)

함수 e^x의 $x=1$에서의 미분계수의 정의에 의하여 $\lim\limits_{x \to 1}\dfrac{e^x-e}{x-1}=e$이다.

$\lim\limits_{x \to 1}\dfrac{(e^x-e)\{f(x)+g(x)\}}{(x-1)^2 g(x)}=2$에서

극한 $\lim\limits_{x \to 1}\dfrac{f(x)+g(x)}{(x-1)g(x)}$이 존재해야 하므로 $\lim\limits_{x \to 1}(f(x)+g(x))=0$이다.

$f(x)$와 $g(x)$가 다항함수이므로 실수 전체에서 연속이므로

$\lim\limits_{x \to 1}(f(x)+g(x))=f(1)+g(1)=0$으로부터 $g(1)=1$이다.

그러므로 $h(1)=\dfrac{f(1)}{g(1)}=-1$이다.

따라서

$$\lim\limits_{x \to 1}\dfrac{(e^x-e)\{f(x)+g(x)\}}{(x-1)^2 g(x)}=\lim\limits_{x \to 1}\dfrac{e^x-e}{x-1}\times\lim\limits_{x \to 1}\dfrac{\dfrac{f(x)}{g(x)}-(-1)}{x-1}$$

$$=\lim\limits_{x \to 1}\dfrac{e^x-e}{x-1}\times\lim\limits_{x \to 1}\dfrac{h(x)-h(1)}{x-1}=eh'(1)=2$$

이므로 $h'(1) = \dfrac{2}{e}$**이다.**

(3)

$h'(1) = \dfrac{f'(1)g(1) - f(1)g'(1)}{g(1)^2} = 2 + g'(1) = \dfrac{2}{e}$ **이다.**

$g'(1) = \dfrac{2}{e} - 2$**이다.**

$k'(x) = f'(g(x))g'(x)$**이므로**

$k'(1) = f'(g(1))g'(1) = f'(1)\left(\dfrac{2}{e} - 2\right) = 2\left(\dfrac{2}{e} - 2\right) = \dfrac{4}{e} - 4$**이다.**

<문제 4> 양의 실수 x에 대한 함수 $f(x)$를 $f(x) = x - \ln x$라고 할 때, 다음 물음에 답하시오.

(1) [8점] 함수 $y = f(x)$의 그래프의 개형을 그리고, 모든 양의 실수 x에 대하여 $f(x) \geq 1$임을 보이시오.

(2) [7점] (2)을 이용하여 $a < b$인 양의 실수 a, b에 대하여 $\dfrac{a+b}{2} \geq \dfrac{b\ln b - a\ln a}{b-a}$임을 보이시오.

(3) [10점] 함수 $y = f(x)$의 그래프를 이용하여 2 이상의 자연수 n에 대하여

$\displaystyle\sum_{k=1}^{n-1} \dfrac{f(k) + f(k+1)}{2} \geq \int_1^n f(x)dx$가 성립함을 보이시오.

(1)

$f'(x) = 1 - \dfrac{1}{x}$, $f''(x) = \dfrac{1}{x^2}$**이다.**

그래프의 개형을 표로 나타내면 다음과 같다.

x	0	$\cdots$	1	$\cdots$	∞
$f'(x)$		$-$	0	$+$	
$f''(x)$		$+$	$+$	$+$	
$f(x)$		$\searrow$	1	$\nearrow$	

그래프의 개형은 그림과 같다.

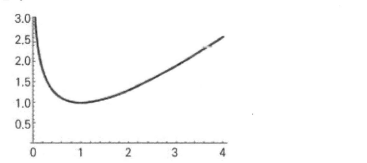

95

구간 $(0, \infty)$에서 $f(x)$의 최솟값은 $f(1)=1$이므로 모든 양의 실수 x에 대하여 $f(x) \geq 1$이 성립한다.

(2)

(1)에 의해 $f(x) \geq 1$이므로 $\displaystyle\int_a^b f(x)dx \geq \int_a^b 1dx$이다.

$$\int_a^b 1dx = b-a$$

$$\int_a^b f(x)dx = \left[\frac{1}{2}x^2 - x\ln x + x\right]_a^b = \frac{1}{2}(b^2-a^2) + (b-a) - (b\ln b - a\ln a)$$

따라서 $b\ln b - a\ln a \leq \dfrac{1}{2}(b^2-a^2) = \dfrac{1}{2}(a+b)(b-a)$

양수 $b-a$로 양변을 나누어 주면 $\dfrac{a+b}{2} \geq \dfrac{b\ln b - a\ln a}{b-a}$이 성립한다.

(3)

(1)에 의해 $x > 1$에서 $f(x)$는 양의 값을 가지며 아래로 볼록하다.

네 점 $(k, 0)$, $(k+1, 0)$, $(k, f(k))$, $(k+1, f(k+1))$을 꼭짓점으로 하는 사다리꼴의 넓이는 구간 $(k, k+1)$에서 $y=f(x)$와 x축 사이의 넓이보다 크거나 같으므로,

$$\frac{f(k)+f(k+1)}{2} \geq \int_k^{k+1} f(x)dx \quad (k=1, 2, \cdots).$$

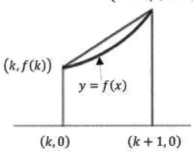

따라서 $\displaystyle\sum_{k=1}^{n-1} \frac{f(k)+f(k+1)}{2} \geq \sum_{k=1}^{n-1} \int_k^{k+1} f(x)dx = \int_1^n f(x)dx$

3. 2023학년도 성신여대 수시 논술

<문제 1> 최고차항의 계수가 1인 다항함수 $g(x)$의 그래프가 원점을 지나고, 함수 $g(x)$에 대하여 사차함수 $f(x)$를

$$f(x) = x\int_0^x g(t)dt$$

로 정의할 때 $f(3)=0$이라 하자. 다음 질문에 답하시오. [총 25점]

(1) 다항함수 $g(x)$와 $f(x)$를 구하시오. [10점]

(2) 구간 $[0, 3]$에서의 $f(x)$의 평균변화율을 구하고, 그 값과 $f'(b)$가 같게 되는 실수 b의 값을 구간 $(0, 3)$에서 구하시오. [7점]

(3) $\displaystyle\int_0^3 (|f''(x)| - f''(x))dx$의 값을 구하시오. [8점]

---

(1)

최고차항의 계수가 1인 다항함수 $g(x)$의 최고차항을 x^n이라고 하면 $f(x) = x\displaystyle\int_0^x g(t)dt$로부터 $f(x)$의 최고차항은 $x \cdot \dfrac{1}{n+1}x^{n+1} = \dfrac{1}{n+1}x^{n+2}$이고, 이것이 사차항이 되려면 $n = 2$이다. 따라서 $g(x) = x^2 + ax$꼴이다. (a는 상수)

그리고 주어진 식에 의해 $f(x) = x\displaystyle\int_0^x g(t)dt = x\left[\dfrac{1}{3}t^3 + \dfrac{a}{2}t^2\right]_0^x = \dfrac{1}{6}x^3(2x + 3a)$인데, 주어진 조건 $f(3) = 0$으로부터 $a = -2$이다.

따라서 $g(x) = x^2 - 2x$이고, $f(x) = \dfrac{1}{3}x^4 - x^3$이다.

(2)

$f(x) = \dfrac{1}{3}x^4 - x^3$이므로, $f(0) = 0$, $f(3) = 0$이다.

따라서 구간 $[0, 3]$에서의 $f(x)$의 평균변화율은 $\dfrac{f(3) - f(0)}{3 - 0} = \dfrac{0 - 0}{3} = 0$이고,

$f'(x) = \dfrac{4}{3}x^3 - 3x^2 = \dfrac{1}{3}x^2(4x - 9)$이다.

이때 $f'(x) = 0$은 구간 $(0, 3)$에서 $x = \dfrac{9}{4}$일 때만 성립한다. 따라서 $b = \dfrac{9}{4}$이다.

(3)

$f(x) = \dfrac{1}{3}x^4 - x^3$으로부터 $f''(x) = 4x^2 - 6x = 2x(2x - 3)$이므로

$0 \le x \le \dfrac{3}{2}$에서는 $f''(x) \le 0$이고,

$x < 0$또는 $x > \dfrac{3}{2}$이면 $f''(x) > 0$이다.

따라서 $|f''(x)| - f''(x) = \begin{cases} -2f''(x), & 0 \le x \le \dfrac{3}{2} \\ 0, & x < 0 \quad \text{또는} \quad x > \dfrac{3}{2} \end{cases}$

그러므로

$$\int_0^3 (|f''(x)| - f''(x))dx = -2\int_0^{\frac{3}{2}} f''(x)dx$$

$$= -2[f'(x)]_0^{\frac{3}{2}} = -2\left[\frac{1}{3}x^2(4x-9)\right]_0^{\frac{3}{2}} = \frac{9}{2}$$

이다.

<문제 2> 모든 자연수 n에 대하여

$$a_n = \sqrt{2}\,e^{\frac{\pi}{4}}\int_{\frac{\pi}{4}}^{n\pi+\frac{\pi}{4}} e^{-x}\sin x\,dx$$

로 정의된 수열 $\{a_n\}$에 대하여 다음 질문에 답하시오. [총 25점]

(1) $a_n = \int_0^{n\pi} e^{-x}(A\sin x + B\cos x)dx$를 만족시키는 상수 A, B를 구하시오. [7점]

(2) $\displaystyle\lim_{n\to\infty} a_n$의 값을 구하시오. [10점]

(3) $\displaystyle\sum_{n=1}^{\infty}(a_n - a_{n+1})$의 값을 구하시오. [8점]

(1)
치환적분을 통해

$$a_n = \sqrt{2}\,e^{\frac{\pi}{4}}\int_{\frac{\pi}{4}}^{n+\frac{\pi}{4}} e^{-x}\sin x\,dx = \sqrt{2}\,e^{\frac{\pi}{4}}\int_0^{n\pi} e^{-\left(x+\frac{\pi}{4}\right)}\sin\left(x+\frac{\pi}{4}\right)dx$$

으로 나타 낼 수 있다.

$\sin\left(x+\dfrac{\pi}{4}\right) = \dfrac{1}{\sqrt{2}}(\sin x + \cos x)$**임을 이용하면**

$$a_n = \sqrt{2}\,e^{\frac{\pi}{4}}\int_{\frac{\pi}{4}}^{n+\frac{\pi}{4}} e^{-x}\sin x\,dx = \sqrt{2}\,e^{\frac{\pi}{4}}\int_0^{n\pi} e^{-\left(x+\frac{\pi}{4}\right)}\sin\left(x+\frac{\pi}{4}\right)dx = \int_0^{n\pi} e^{-x}(\sin x + \cos x)dx$$

이 성립하므로 $A=1$, $B=1$임을 알 수 있다.

(2)
 부분적분을 통해

$$\int e^{-x}\sin x\,dx = -e^{-x}\sin x + \int e^{-x}\cos x\,dx$$

가 됨을 알 수 있고, 비슷하게

$$\int e^{-x}\cos x\,dx = -e^{-x}\cos x - \int e^{-x}\sin x\,dx$$

가 된다. 따라서

$$\int e^{-x}\sin x\,dx = -\frac{1}{2}e^{-x}(\sin x + \cos x) + C_1$$

이고,

$$\int e^{-x}\cos x\,dx = -\frac{1}{2}e^{-x}(\cos x - \sin x) + C_2$$

이므로

$$\int e^{-x}(\sin x + \cos x)\,dx = -e^{-x}\cos x + C_3$$

가 된다. 또는 부분적분을 이용하여

$$\int e^{-x}(\sin x + \cos x)\,dx = \int e^{-x}\sin x\,dx + \int e^{-x}\cos x\,dx$$

$$= \int e^{-x}(-\cos x)'\,dx + \int e^{-x}\cos x\,dx = -e^{-x}\cos x - \int e^{-x}\cos x\,dx + \int e^{-x}\cos x\,dx$$

$$= -e^{-x}\cos x + C_4$$

임을 알 수 있다. (단, C_1, C_2, C_3, C_4는 적분상수)

그러므로

$$a_n = \int_0^{n\pi} e^{-x}(\sin x + \cos x)\,dx = \left[-e^{-x}\cos x\right]_0^{n\pi} = 1 - (-1)^n e^{-n\pi} = 1 - \left(-e^{-\pi}\right)^n$$

이고, $\left|-e^{-\pi}\right| < 1$이므로, $\displaystyle\lim_{n\to\infty} a_n = \lim_{n\to\infty}\left(1 - \left(-e^{-\pi}\right)^n\right) = 1$이다.

(3)

$a_n = 1 - \left(-e^{-\pi}\right)^n$ 이므로

$$a_{n+1} = 1 - \left(-e^{-\pi}\right)^{n+1} = 1 - \left(-e^{-\pi}\right)\left(-e^{-\pi}\right)^n = 1 + e^{-\pi}\left(-e^{-\pi}\right)^n$$

이다.

$$a_n - a_{n+1} = -\left(-e^{-\pi}\right)^n - e^{-\pi}\left(-e^{-\pi}\right)^n = -\left(1 + e^{-\pi}\right)\left(-e^{-\pi}\right)^n$$

이 되어

$$\sum_{n=1}^{\infty}\left(a_n - a_{n+1}\right) = -\left(1 + e^{-\pi}\right)\sum_{n=1}^{\infty}\left(-e^{-\pi}\right)^n$$

이고

$\left|-e^{-\pi}\right| < 1$ 이므로

급수의 합을 계산하여

$$-\left(1 + e^{-\pi}\right)\sum_{n=1}^{\infty}\left(-e^{-\pi}\right)^n = -\left(1 + e^{-\pi}\right)\frac{-e^{-\pi}}{1 + e^{-\pi}} = e^{-\pi}$$

가 됨을 알 수 있다.

〈문제 3〉 아래 그림과 같이 한 직선 m위에 지름이 놓인 두 반원의 반지름이 모두 1이며, 중심이 각각 O_1, O_2이고, 직선 m 위의 한 점 A에 대하여 $\overline{O_1 A} = \overline{O_2 A} = 1$이다. 반원 O_1 위의 한 점 P_1에 대해 $\angle P_1 O_1 A = \theta$라고 할 때, 반직선 $\overrightarrow{O_1 P_1}$이 반원 O_2와 만나는 두 점 중 점 P_1에 가까운 순서대로 각각 P_2, Q라 하자. 다음 질문에 답하시오.

(단, $0 < \theta < \dfrac{\pi}{6}$이다.) [총 25점]

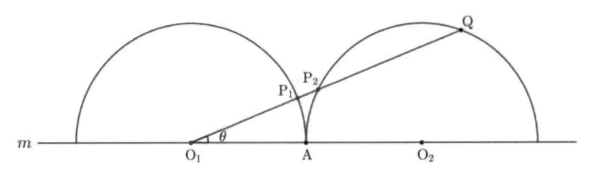

(1) $\sin\theta = \dfrac{1}{\sqrt{5}}$ 일 때, 삼각형 P_2O_2Q의 넓이를 구하시오. [7점]

(2) 선분 P_1P_2의 길이를 $\ell(\theta)$라고 할 때, $\ell(\theta)$의 식을 구하고, $\displaystyle\lim_{\theta \to 0+}\dfrac{\ell(\theta)}{\theta^2}$의 값을 구하시오. [8점]

(3) 삼각형 O_1AP_1의 넓이를 $f(\theta)$, 삼각형 O_1O_2Q의 넓이를 $g(\theta)$, 사각형 $AO_2P_2P_1$의 넓이를 $h(\theta)$라고 하자. 이때, $f(\theta)$, $g(\theta)$, $h(\theta)$를 구하고, $\displaystyle\lim_{\theta \to 0+}\dfrac{f(\theta)+g(\theta)+h(\theta)}{\theta}$의 값을 구하시오. [10점]

---

(1)

선분 P_2Q의 중점을 M이라 할 때, 이등변삼각형 P_2O_2Q에서 중선 O_2M의 길이는 $\overline{O_2M} = \overline{O_1O_2}\sin\theta = 2\sin\theta$이다.

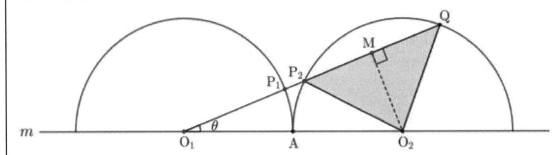

그러므로 $\sin\theta = \dfrac{1}{\sqrt{5}}$이면 $\overline{O_2M} = 2\sin\theta = \dfrac{2}{\sqrt{5}}$이다.

따라서 $\overline{MQ} = \sqrt{\overline{O_2Q}^2 - \overline{O_2M}^2} = \sqrt{1 - \dfrac{4}{5}} = \dfrac{1}{\sqrt{5}}$이므로, 삼각형 P_2O_2Q의 넓이는

$\dfrac{1}{2} \times 2 \times \overline{MQ} \times \overline{O_2M} = \dfrac{1}{\sqrt{5}} \times \dfrac{2}{\sqrt{5}} = \dfrac{2}{5}$이다.

(2)

직각삼각형 O_1O_2M에서 $\overline{O_2M} = \overline{O_1O_2}\sin\theta = 2\sin\theta$이고, $\overline{O_1M} = \overline{O_1O_2}\cos\theta = 2\cos\theta$이다.

그리고 $\overline{P_2M} = \sqrt{\overline{O_2P_2}^2 - \overline{O_2M}^2} = \sqrt{1 - 4\sin^2\theta}$이다.

따라서 $\ell(\theta) = \overline{P_1P_2} = \overline{O_1M} - \overline{P_2M} - \overline{O_1P_1} = 2\cos\theta - \sqrt{1 - 4\sin^2\theta} - 1$이다.

$\dfrac{\ell(\theta)}{\theta^2}$ 을 정리해보면

$$\frac{2\cos\theta-1-\sqrt{1-4\sin^2\theta}}{\theta^2}=\frac{2(\cos\theta-1)}{\theta^2}+\frac{1-\sqrt{1-4\sin^2\theta}}{\theta^2}$$

$$=\frac{2(\cos\theta-1)}{\theta^2}+\frac{4\sin^2\theta}{\theta^2\left(1+\sqrt{1-4\sin^2\theta}\right)}$$

이 되고,

$$\lim_{\theta\to0+}\frac{2(\cos\theta-1)}{\theta^2}=\lim_{\theta\to0+}\frac{2(\cos\theta-1)(\cos\theta+1)}{\theta^2(\cos\theta+1)}=\lim_{\theta\to0+}\frac{-2\sin^2\theta}{\theta^2(\cos\theta+1)}=-1$$

이므로 $\displaystyle\lim_{\theta\to0+}\frac{\ell(\theta)}{\theta^2}=-1+2=1$이 된다.

(3)

점 A에서 선분 O_1Q에 내린 수선의 발을 N이라 할 때, 직각삼각형 O_1AN에서
$\overline{AN}=\overline{O_1A}\sin\theta=\sin\theta$이므로,

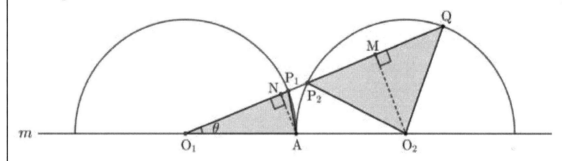

삼각형 O_1AP_1의 넓이는 $f(\theta)=\dfrac{1}{2}\times\overline{O_1P_1}\times\overline{AN}=\dfrac{1}{2}\sin\theta$이다.

삼각형 O_1O_2Q의 넓이는 $g(\theta)=\dfrac{1}{2}\times\overline{O_1Q}\times\overline{O_2M}$인데, $g(\theta)=\left(2\cos\theta+\sqrt{1-4\sin^2\theta}\right)\sin\theta$이다.

삼각형 P_2O_2Q의 넓이는

$$\frac{1}{2}\times\overline{P_2Q}\times\overline{O_2M}=\overline{MQ}\times\overline{O_2M}=\sqrt{1-4\sin^2\theta}\times2\sin\theta$$

이고, 사각형 $AO_2P_2P_1$의 넓이는

$h(\theta)=$ (삼각형 O_1O_2Q의 넓이) - (삼각형 P_2O_2Q의 넓이) - (삼각형 O_1AP_1의 넓이)

이므로 $h(\theta)=g(\theta)-\sqrt{1-4\sin^2\theta}\times2\sin\theta-f(\theta)$이다.

따라서

$$\lim_{\theta\to0+}\frac{f(\theta)+g(\theta)+h(\theta)}{\theta}=\lim_{\theta\to0+}\frac{2g(\theta)-2\sin\theta\sqrt{1-4\sin^2\theta}}{\theta}=\lim_{\theta\to0+}\frac{4\sin\theta\cos\theta}{\theta}$$

$$= \lim_{\theta \to 0+} \left(4 \times \frac{\sin\theta}{\theta} \times \cos\theta \right) = 4 \times 1 \times 1 = 4$$

이다.

<문제 4> 수정이가 인터넷 사이트에 가입하기 위해서 아이디를 만들고 비밀번호를 정하고 있다. 이 사이트는 비밀번호의 각 자리에 0, 1, 2, 3, 4, 5, 6, 7, 8, 9 중 하나의 숫자를 사용하도록 한다고 하자. 다음 질문에 답하시오. [총 25점]

(1) 같은 숫자가 세 번 이상 들어있는 다섯 자리 비밀번호(예를 들어 00111, 50559 등)의 가짓수를 구하시오. [7점]

(2) 같은 숫자가 세 번 이상 연속하여 나타나는 다섯 자리 비밀번호 (예를 들어 01111, 12223 등)의 가짓수를 구하시오. [10점]

(3) 이 사이트의 보안정책은 사용자가 다섯 자리 비밀번호를 사용하도록 하지만, 사용자가 선택한 비밀번호에 같은 숫자가 세 번 이상 연속하여 나타나면 뒤쪽에 두 자리를 추가하여 일곱 자리의 비밀번호를 사용하도록 강제한다. 이러한 보안정책에 따라 수정이가 선택할 수 있는 모든 비밀번호의 가짓수를 구하시오. [8점]

(1)

다섯 자리 비밀번호를 만들 때, 세 번 이상 들어있는 숫자는 하나만 선택할 수 있다. 따라서 0이 세 번 이상, 또는 1이 세 번 이상, … 또는 9가 세 번 이상으로 10가지 숫자 중 하나를 선택하는 것이 가능하다. 한 숫자가 n번만 들어있는 경우의 수는 하나의 숫자를 선택한 후, 다섯 자리에서 n개를 골라 이 숫자로 채우고, 나머지 $5-n$개의 자리에 앞에서 선택하지 않은 숫자 중 하나를 각각 선택하는 수이므로 $10 \times {}_5C_n \times 9^{5-n}$이다.

한 숫자가 세 번만 들어있는 경우는 $10 \times {}_5C_3 \times 9^2 = 10 \times 10 \times 81 = 8100$가지, 한 숫자가 네 번만 들어있는 경우는 $10 \times {}_5C_4 \times 9 = 10 \times 5 \times 9 = 450$가지, 한 숫자가 다섯 번 들어있는 경우는 10가지이다. 따라서 같은 숫자가 세 번 이상 들어있는 모든 다섯 자리 비밀번호의 가짓수는 $8100 + 450 + 10 = 8560$개다.

(2)

다섯 자리의 비밀번호에서 숫자 a가 세 번 이상 연속하여 나타나는 것은 $aaa\square\square$, $\square aaa\square$, $\square\square aaa$의 꼴로 배열되는 경우이다.

① $aaa\square\square$에서 $10 \times 10 = 100$가지 경우가 가능하다.

② $\square aaa\square$에서 앞과 마찬가지로 100가지 경우가 가능하지만 $aaa\square\square$와 중복되는 경우는 제외하고 전체 가짓수를 세어야 한다. $aaaa\square$는 $aaa\square\square$와 중복되는 경우를 나타내고 10가지의 경우의 수가 있다. 따라서 $100 - 10 = 90$가지의 경우가 추가된다.

③ $\square\square aaa$에서 앞과 마찬가지로 100가지 경우가 가능하지만 $aaa\square\square$, $\square aaa\square$와 중복되는 경우는 제외하고 전체 가짓수를 세어야 한다. $aaaaa$는 $aaa\square\square$와 중복되는 하나의 경우다. $\square aaaa$는 $\square aaa\square$와 중복되는 경우를 나타내고 $10 \times 10 = 100$가지의 경우의 수가 있으며 앞의 $aaaaa$의 경우를 포함한다. 따라서 $100 - 10 = 90$가지의 경우가 추가된다.

숫자 a를 선택하는 경우의 수는 10가지이므로 임의의 같은 숫자가 세 번 이상 연속하여 나타나는 모든 다섯 자리 비밀번호의 가짓수는 $10 \times (100 + 90 + 90) = 2800$가지이다.

(3)

주어진 보안정책에 따라 수정이가 비밀번호를 정할 때 가능한 비밀번호의 길이는 다섯 자리 (같은 숫자가 세 번 이상 연속해서 나타나지 않는 비밀번호)와 일곱 자리(앞의 다섯 자리에 같은 숫자가 세 번 이상 연속해서 나타나는 비밀번호)이다. 아무 숫자나 사용할 수 있는 모든 다섯 자리 비밀번호의 가짓수는 $10^5 = 100000$이고, 여기에서 같은 숫자가 세 번 이상 연속해서 나타나는 비밀번호는 허용되지 않으므로 (2)에서 구한 2800개를 제외하여 허용된 다섯 자리의 비밀번호의 가짓수 $100000 - 2800 = 97200$가지를 구할 수 있다. 일곱 자리의 비밀번호는 같은 숫자가 세 번 이상 연속해서 나타나는 다섯 자리 비밀번호의 뒤쪽에 두 자리가 더해졌으므로 가능한 가짓수는 $2800 \times 10^2 = 280000$가지로 구할 수 있다. 따라서 모든 가능한 비밀번호의 가짓수는 $97200 + 280000 = 377200$가지이다.

4. 2023학년도 성신여대 모의 논술

<문제 1> $f(0) = -12$인 다항함수 $f(x)$에 대하여 최고차항의 계수가 1인 사차함수 $g(x)$를

$$g(x) = \int_a^x (x^2 - tx)f(t)dt \text{(단, }a\text{는 상수)}$$

라 할 때, 다음 물음에 답하시오. [총25점]

(1) [10점] $f(x)$와 $g(x)$를 구하시오.

(2) [7점] 모든 실수 x에 대해 $|g(x)| = g(x)$가 성립할 때, 곡선 $y = g(x)$와 x축으로 둘러싸인 부분의 넓이를 구하시오.

(3) [8점] 함수 $y = |g(x)|$가 미분가능하지 않은 점이 1개 이하가 되도록 하는 a의 값을 모두 구하시오.

(1)

$f(x)$의 최고차항을 px^n이라고 하자. 그러면, $g(x) = \int_a^x (x^2 - tx)(pt^n + \cdots)dt$이므로 $g(x)$의 최고차항을 보면 $\left(\dfrac{p}{n+1} - \dfrac{p}{n+2}\right)x^{n+3}$이 된다. 한편, $g(x)$의 최고차항은 문제에서 x^4이라고 했으므로 이 둘을 비교해보면 $n = 1$이고 $p = 6$이 되므로, $f(x) = 6x - 12$가 된다.

$f(x) = 6x - 12$를 $g(x)$의 식에 대입하면

$$g(x) = x\int_a^x (x-t)(6t-12)dt = x\int_a^x (-6t^2 + 12t + 6xt - 12x)dt$$

$$= x\left[-2t^3 + 6t^2 + 3xt^2 - 12xt\right]_a^x = x(-2x^3 + 2a^3) + x(6x^2 - 6a^2) + 3x^2(x^2 - a^2) - 12x^2(x - a^2)$$

$$= x(x-a)(-2x^2 - 2ax - 2a^2 + 6(x+a) + 3x(x+a) - 12x)$$

$$= x(x-a)(x^2 + (a-6)x - 2a^2 + 6a) = x(x-a)^2(x + 2a - 6)$$

(2)

$g(x)=x(x-a)^2(x+2a-6)$이기 때문에 모든 실수 x에 대하여 $|g(x)|=g(x)$가 성립하려면 아래와 같은 그래프가 그려져야만 한다.

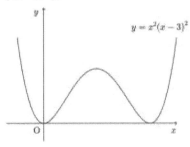

따라서, $2a-6=0$ 즉, $a=3$이 되고, $g(x)=x^2(x-3)^2$이 된다.

그래프의 개형을 통해 구하고자 하는 넓이는 $\int_0^3 x^2(x-3)^2 dx$이다.

이를 계산하면

$$\int_0^3 x^2(x-3)^2 dx = \int_0^3 (x^4-6x^3+9x^2)dx = \left[\frac{x^5}{5}-\frac{3x^4}{2}+3x^3\right]_0^3 = \frac{81}{10}$$

이 된다.

(3)

$g(x)=x(x-a)^2(x+2a-6)$이므로 $g(x)=0$의 해는 $x=0$, a, $-2a+6$이다.

$y=|g(x)|$가 미분가능하지 않은 점이 0개, 1개인 경우로 나누어서 생각하자.

$y=|g(x)|$가 미분가능하지 않은 점이 1개라면, 삼중근을 가져야 한다. 즉, $a=0$이거나 $a=-2a+6$을 만족해야한다. 따라서, $a=0$ 또는 $a=2$이다.

미분가능하지 않은 점이 0개이기 위해서는 〈문제 1〉(2)의 경우에 해당되므로 이 경우에는 $a=3$이 된다.

<문제 2> 좌표평면에서 곡선 $y=2^x$과 직선 $y=-x+n$이 만나는 점을 $P_n\left(a_n, 2^{a_n}\right)$이라 하고, 곡선 $y=2^{-x}$과 직선 $y=-x+n$이 만나는 점 중 x좌표가 양수인 점을 $Q_n\left(b_n, 2^{-b_n}\right)(b_n>0)$이라 하자. 또한, 점 Q_n에서 x축에 내린 수선의 발을 C_n이라 하고, 직선 $x=b_n$과 곡선 $y=2^x$이 만나는 점을 R_n이라 하자. (단, n은 2이상의 자연수이다.)

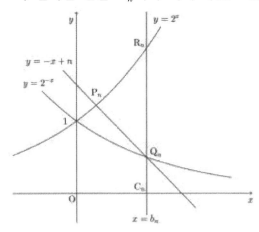

다음 물음에 답하시오. [총25점]

(1) [10점] 선분 $P_n P_{n+1}$의 길이가 $\sqrt{2}$보다 작음을 보이시오.

(2) [5점] 부등식 $n-1 < b_n < n$이 성립함을 보이시오.

(3) [10점] 삼각형 $OC_n R_n$의 넓이를 S_n, 삼각형 $OC_n Q_n$의 넓이를 T_n이라고 할 때, $\displaystyle\lim_{n \to \infty} \frac{S_n \times T_n}{n^2}$의 값을 구하시오.

---

(1)

점 P_n의 좌표는 $P_n(a_n, -a_n+n)$이고 점 P_{n+1}의 좌표는 $P_{n+1}(a_{n+1}, -a_{n+1}+n+1)$이다.

곡선 $y = 2^x$는 증가함수이므로, $-a_n + n < -a_{n+1} + n + 1$, 즉, $0 < a_{n+1} - a_n < 1$이 성립한다.

한편, $2^{a_n} = -a_n + n$이고, $2^{a_{n+1}} = -a_{n+1} + n + 1$이므로 $2^{a_{n+1}} - 2^{a_n} = 1 - (a_{n+1} - a_n)$이 되어, $0 < 2^{a_{n+1}} - 2^{a_n} < 1$이 성립한다.

마지막으로, 선분 $P_n P_{n+1}$의 길이는 $\sqrt{(a_n - a_{n+1})^2 + (2^{a_n} - 2^{a_{n+1}})^2}$이므로 위의 두 부등식을 이용하면 선분 $P_n P_{n+1}$의 길이가 $\sqrt{2}$보다 작음을 보일 수 있다.

(2)

$y = 2^{-x}$와 $y = -x + n$의 교점의 x좌표인 b_n과 $y = -x + n$의 x절편인 n과 비교해보면 2이상의 자연수 n에 대해 $b_n < n$이 성립함을 확인할 수 있다.

$y = 2^{-x}$와 $y = -x + n$의 교점의 y좌표는 $n - b_n$인데, 이것과 $y = 2^{-x}$가 y축과 만나는 점인 $(0, 1)$의 y좌표와 비교해보면 $n - b_n < 1$, 즉, $n - 1 < b_n$임을 확인할 수 있다.

이를 종합해보면 $n - 1 < b_n < n$이 된다.

(3)

삼각형 $OC_n R_n$의 넓이 $S_n = \frac{1}{2} \times \overline{OC_n} \times \overline{R_n C_n} = \frac{1}{2} b_n \times 2^{b_n}$이다.

마찬가지로 삼각형 $OC_n Q_n$의 넓이 $T_n = \frac{1}{2} \times \overline{OC_n} \times \overline{Q_n C_n} = \frac{1}{2} b_n \times 2^{-b_n}$이 된다.

따라서, $S_n \times T_n = \frac{1}{4} b_n^2$이 되고

위의 〈문제 2〉(2)에서 $\frac{n-1}{n} < \frac{b_n}{n} < 1$이 성립하므로 $\displaystyle\lim_{n \to \infty} \frac{b_n}{n} = 1$이 된다.

따라서, $\displaystyle\lim_{n \to \infty} \frac{S_n \times T_n}{n^2} = \frac{1}{4}$이다

<문제 3> 그림과 같이 $\angle D_1A_1B_1 = \angle B_1C_1D_1 = 90°$이고, $\overline{A_1B_1} = \overline{B_1C_1}$, $\overline{C_1D_1} = \overline{D_1A_1}$인 사각형 $A_1B_1C_1D_1$이 중심이 O_1인 원 O_1에 내접한다. 네 변 A_1B_1, B_1C_1, C_1D_1, D_1A_1을 각각 지름으로 하고 사각형 $A_1B_1C_1D_1$의 외부에 그려진 4개의 반원의 내부와 원 O_1의 외부의 공통부분에 색칠하여 얻은 그림 ⬭을 R_1이라 하자.

또 사각형 $A_1B_1C_1D_1$에 내접하는 중심이 O_2인 원 O_2에 대하여 선분 O_2B_1, 선분 O_2D_1과 원 O_2가 만나는 점을 각각 B_2, D_2라고 하자. 점 D_2에서 선분 A_1D_1과 평행한 직선이 원 O_2와 만나는 점 중 점 D_2가 아닌 점을 점 A_2라 하고, 점 D_2에서 선분 D_1C_1과 평행한 직선이 원 O_2와 만나는 점 중 점 D_2가 아닌 점을 점 C_2라 하자. 이렇게 만들어지는 사각형 $A_2B_2C_2D_2$의 네 변 A_2B_2, B_2C_2, C_2D_2, D_2A_2을 각각 지름으로 하고 사각형 $A_2B_2C_2D_2$의 외부에 그려진 4개의 반원의 내부와 원 O_2의 외부의 공통부분에 색칠하여 얻은 그림 ◯을 R_2이라 하자.

이와 같은 과정을 계속하여 n번째 얻은 그림 R_n에 색칠되어 있는 부분의 넓이를 S_n이라 할 때, 다음 물음에 답하시오. [총25점]

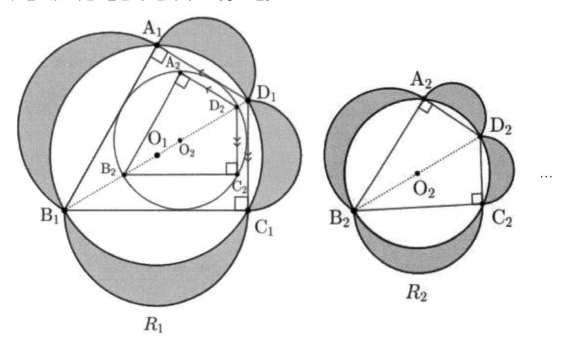

R_1 R_2

(1) [7점] $\overline{A_1B_1} = a_1$, $\overline{D_1A_1} = b_1$이라고 할 때, S_1을 a_1과 b_1로 나타내시오.

(2) [8점] 원 O_1과 원 O_2의 반지름을 각각 r_1, r_2라고 할 때, r_1과 r_2를 a_1과 b_1로 나타내시오.

(3) [10점] $a_1 = 2$이고 $b_1 = 1$일 때, $\displaystyle\sum_{n=1}^{\infty} S_n$의 값을 구하시오.

(1)

대칭성에 의해 $\frac{1}{2}S_1$은 선분 A_1B_1을 지름으로 하는 반원 중 원 O_1의 바깥 부분과 선분 A_1D_1을 지름으로 하는 반원 중 원 O_1의 바깥 부분의 넓이의 합과 같다.

따라서, $\frac{1}{2}S_1$은 삼각형 $A_1B_1D_1$의 넓이와 지름이 a_1인 반원의 넓이와 지름이 b_1인 반원의 넓이를 더한 것에서 지름이 $\overline{B_1D_1}$인 반원의 넓이를 뺀 것이다.

즉, $\frac{1}{2}S_1 = \frac{1}{2}a_1b_1 + \frac{1}{2}\left(\frac{a_1}{2}\right)^2\pi + \frac{1}{2}\left(\frac{b_1}{2}\right)^2\pi - \frac{1}{2}\left(\frac{\sqrt{a_1^2+b_1^2}}{2}\right)^2\pi = \frac{1}{2}a_1b_1$이 되어 $S_1 = a_1b_1$이 된다.

(2)

원에 내접하는 직각삼각형의 성질을 이용하면 선분 B_1D_1의 길이가 원 O_1의 지름인 $2r_1$이 된다. 따라서, $r_1 = \frac{\sqrt{a_1^2+b_1^2}}{2}$이 된다.

한편, 사각형 $A_1B_1C_1D_1$에 내접하는 원 O_2의 반지름이 r_2이다. 원 O_2가 선분 B_1C_1, 선분 C_1D_1과 접하는 점을 각각 점 P, Q라고 한다면, 삼각형 O_2B_1P와 삼각형 O_2QD은 닮음이다.

그러므로 $\dfrac{\overline{PO_2}}{B_1P} = \dfrac{\overline{QD_1}}{O_2Q}$, 즉, $\dfrac{r_2}{a_1-r_2} = \dfrac{b_1-r_2}{r_2}$가 성립한다.

따라서, $r_2 = \dfrac{a_1b_1}{a_1+b_1}$이 된다.

(3)

$a_1 = 2$이고 $b_1 = 1$이므로 첫 번째 항은 $S_1 = a_1b_1 = 2$가 된다.

삼각형 $A_1B_1D_1$과 삼각형 $A_2B_2D_2$가 닮았고, 같은 이유로 삼각형 $B_1C_1D_1$과 삼각형 $B_1C_1D_1$이 닮았으로, 수열 $\{S_n\}$은 등비수열이 됨을 알 수 있고, 공비는 $\left(\dfrac{r_2}{r_1}\right)^2$이 된다.

이 때, $r_1 = \dfrac{\sqrt{5}}{2}$이고, $r_2 = \dfrac{a_1b_1}{a_1+b_1} = \dfrac{2}{3}$이므로 공비는 $\dfrac{16}{45}$가 되므로,

$\displaystyle\sum_{n=1}^{\infty}S_n = \dfrac{2}{1-\dfrac{16}{45}} = \dfrac{90}{29}$가 된다.

<문제 4> 그림과 같이 수정이와 성신이가 수직선 위의 좌표 0과 12에 처음 말을 놓고 주사위를 던지는 게임을 한다. 두 사람이 각자 주사위를 2번 던져 나온 수의 합만큼 화살표 방향으로 말을 이동시킨다고 한다. 예를 들어 수정이가 주사위를 2번 던졌을 때 나온 수의 합이 7이면 수정이는 말을 7칸 움직여 수직선 위의 좌표 7에 말을 놓고, 성신

이가 주사위를 2번 던졌을 때 나온 수의 합이 3이면 12−3＝9이므로 성신이는 말을 3칸 움직여 수직선 위의 좌표 9에 말을 놓는다. 다음 물음에 답하시오. [총25점]

(1) [5점] 수정이가 주사위를 2번 던졌을 때 말이 놓이는 위치의 좌표를 X라 할 때 좌표 X에 수정이의 말이 위치하게 되는 경우의 수를 각각 구한 후 아래의 표를 참고하여 표로 나타내시오.

X	2	3	4	...
경우의 수				

(2) [10점] 이동 규칙을 변경하여 아래의 규칙을 만족시키도록 말을 이동시킬 때, 수정이의 말이 놓이는 위치의 좌표를 Y라 하자. (단, 수정이의 말은 처음에 좌표 0에 위치한다.)

> (가) 주사위를 2번 던졌을 때, 나온 눈의 수가 다르다면 나온 두 수의 합만큼 화살표 방향으로 말을 이동시킨다.
>
> (나) 주사위를 2번 던졌을 때, 나온 눈의 수가 같다면 주사위를 1번 더 던져 총 3번 던진 주사위에서 나온 눈의 수들의 합만큼 화살표 방향으로 말을 이동시킨다. (단, 세 수의 합이 12이상일 경우 말은 12칸만 이동한다.)

좌표 Y에 수정이의 말이 위치하게 되는 경우의 수를 각각 구한 후 아래의 표를 참고하여 표로 나타내시오.

Y	3	4	5	...
경우의 수				

(3) [10점] (2)의 규칙에 따라 게임을 진행하여 수정이와 성신이의 말이 같은 좌표에 놓였을 때의 좌표를 Z라 하자. 수정이와 성신이의 말이 좌표 Z에 같이 위치하게 되는 경우의 수를 각각 구한 후 아래의 표를 참고하여 표로 나타내시오.
(단, 수정의의 말은 처음에 좌표 0에 위치하고 성신이의 말은 처음에 좌표 12에 위치한다.)

Z	3	4	5	...
경우의 수				

> **(1)**
> 주사위를 1번 던졌을 때 나올 수 있는 수는 1, 2, 3, 4, 5, 6 중 하나이다.
> 따라서 주사위를 2번 던졌을 때 말이 놓이는 위치의 좌표 X는 2에서 12사이의 값을 가지게 된다.
> 주사위를 두 번 던졌을 때 나오는 합의 조합은 아래의 표와 같다. (가로와 세로가 만나는 칸은 두수의 합)

	1	2	3	4	5	6
1	2	3	4	5	6	7
2	3	4	5	6	7	8
3	4	5	6	7	8	9
4	5	6	7	8	9	10
5	6	7	8	9	10	11
6	7	8	9	10	11	12

④ 따라서,

X	2	3	4	5	6	7	8	9	10	11	12
경우의 수	1	2	3	4	5	6	5	4	3	2	1

(2)

2번 모두 같은 수가 나왔을 경우에 주사위를 추가로 던지게 되므로 (1)에서 X가 2, 4, 6, 8, 10의 짝수인 경우에 해당 사건이 발생할 수 있다.

짝수 X가 같은 수의 합으로 나온 경우 다시 던져 이동하므로 $X=2=1+1$에서 이동, $X=4=2+2$, …에서 이동하게 된다. 따라서, X가 짝수인 각 경우의 수에서 다시 던지게 된 하나씩의 경우의 수를 빼야 한다.

다시 주사위를 던지게 되면 이동 거리에 $1 \sim 6$의 수가 더해질 수 있고, 전체 합이 12를 넘으면 12칸만 이동하므로, 수정이의 말이 놓이는 위치의 좌표 Y에 대한 경우의 수는 아래의 표와 같이 구할 수 있다.

Y	2	3	4	5	6	7	8	9	10	11	12
다시 던지게 된 경우를 제외한 경우의 수	0 (=1-1)	2	2 (=3-1)	4	4 (=5-1)	6	4 (=5-1)	4	2 (=3-1)	2	0 (=3-1)
합이 2일 때 다시 던짐		1	1	1	1	1	1				
합이 4일 때 다시 던짐				1	1	1	1	1	1		
합이 6일 때 다시 던짐						1	1	1	1	1	1
합이 8일 때 다시 던짐								1	1	1	3
합이 10일 때 다시 던짐										1	5
합이 12일 때 다시 던짐											6

각 열의 합이 각각의 좌표에 수정이의 말이 놓일 수 있는 좌표 Y에 대한 경우의 수이므로 아래와 같이 구할 수 있다.

Y	2	3	4	5	6	7	8	9	10	11	12
경우의 수	0	3	3	6	6	9	7	7	5	5	15

(3)

성신이의 말이 놓일 수 있는 좌표를 Y'라고 할 때, 성신이의 말은 12에서 나온 수의 합을 뺀 수의 좌표에 위치하므로 성신이가 던졌을 때 나올 수 있는 Y 에 대하여 $Y' = 12 - Y$가 된다.

따라서 (2)에서 구한 Y의 경우의 수 표를 활용하여

Y'	2	3	4	5	6	7	8	9	10	11	12
경우의 수	15	7	7	9	6	6	3	3	0	0	0

수정이와 성신이의 말은 개별적으로 이동한다. 따라서 $Y = Y'$인 각각의 Z에 대한 경우의 수는 $Y = Y'$인 Y, Y'쌍의 경우의 수의 곱으로 구할 수 있다.

따라서,

Z	2	3	4	5	6	7	8	9	10
경우의 수	0	21	21	54	36	54	21	21	0

5. 2022학년도 성신여대 수시 논술

<문제 1> 다항함수 $f(x)$가 다음 조건을 만족시킨다.

$$(가)\ \lim_{x \to \infty}\left\{\frac{f(x)}{x^2} - x\right\} = -1$$

$$(나)\ \lim_{x \to 0}\frac{f(x)}{x} = \frac{1}{4}$$

다음 질문에 답하시오. [총 25점]

(1) $f(x)$를 x에 대한 식으로 나타내시오. [7점]

(2) 함수 $y = f(x)$의 그래프의 개형을 그리고, 그래프 위에 극대 및 극소를 나타내는 점의 좌표와 변곡점의 좌표를 표시하시오. 또한, 곡선 $y = f(x)$의 변곡점을 $P(a, f(a))$라 할 때 $f(a-x) = 2f(a) - f(a+x)$가 성립함을 설명하시오. [8점]

(3) $g(x) = \frac{1}{2}\left\{f\left(\frac{1}{3} - x\right) + f\left(\frac{1}{3} + x\right)\right\}$라 하고, 모든 실수 k에 대해 함수 $p(k)$를 집합

$$\{x \mid |f(x) - g(x)| = k,\ x는 실수\}$$

의 원소의 개수라고 정의하자. 함수 $p(k)$를 구하고, 이 함수가 불연속인 k의 값을 모두 찾으시오. [10점]

(1)

조건 (가)를 $\lim_{x \to \infty}\dfrac{f(x) - x^3}{x^2} = -1$으로 변형할 수 있다. 이로부터 $f(x)$는 최고차항이 x^3인 다항함수가 되어, $f(x) = x^3 + ax^2 + bx + c$로 놓을 수 있다. 조건 (가)의 극한값이 -1이므로, $f(x)$의 이차항의 계수가 -1이 되어 $a = -1$이다. 조건 (나)를 통하여 $f(0) = 0$이므로 $b = 0$이고, $f'(0) = \dfrac{1}{4}$이므로 $c = \dfrac{1}{4}$이 된다. 따라서,

$$f(x) = x^3 - x^2 + \frac{1}{4}x$$

이다.

(2)

$$f(x) = x^3 - x^2 + \frac{1}{4}x = x\left(x - \frac{1}{2}\right)^2 \text{이고,}$$

$$f'(x) = 3x^2 - 2x + \frac{1}{4} = \frac{1}{4}(12x^2 - 8x + 1) = \frac{1}{4}(2x-1)(6x-1)$$

이 된다. $f'(x)$의 그래프를 통해 $x = \frac{1}{6}$일 때 $f(x)$는 극댓값 $f\left(\frac{1}{6}\right) = \frac{1}{54}$을 갖고, $x = \frac{1}{2}$

일 때 극솟값 $f\left(\frac{1}{2}\right) = 0$을 갖는다. 따라서, 극대 및 극소를 나타내는 점의 좌표는

$\left(\frac{1}{6}, \frac{1}{54}\right)$, $\left(\frac{1}{2}, 0\right)$이다.

또한, $f''(x) = 6x - 2$이므로, $f''(x)$의 그래프를 통해 $x = \frac{1}{3}$에서 $f''(x)$의 부호가 바뀌므

로 변곡점의 좌표는 $\left(\frac{1}{3}, \frac{1}{108}\right)$이다. 따라서, 함수 $y = f(x)$의 그래프의 개형을 다음과 같

이 그릴 수 있다.

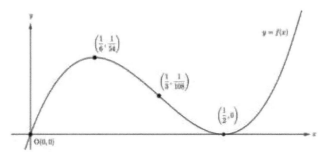

변곡점의 좌표가 $\left(\frac{1}{3}, \frac{1}{108}\right)$이므로, 직접 계산을 통해 다음과 같이 보일 수 있다.

$$f\left(\frac{1}{3} - x\right) + f\left(\frac{1}{3} + x\right)$$
$$= \left(\frac{1}{3} - x\right)\left(x + \frac{1}{6}\right)^2 + \left(\frac{1}{3} + x\right)\left(x - \frac{1}{6}\right)^2$$
$$= \left(\frac{1}{3} - x\right)\left(x^2 + \frac{1}{3}x + \frac{1}{36}\right) + \left(\frac{1}{3} + x\right)\left(x^2 - \frac{1}{3}x + \frac{1}{36}\right)$$
$$= \left(\frac{1}{3}x^2 + \frac{1}{9}x + \frac{1}{108} - x^3 - \frac{1}{3}x^2 - \frac{1}{36}x\right) + \left(\frac{1}{3}x^2 - \frac{1}{9}x + \frac{1}{108} + x^3 - \frac{1}{3}x^2 + \frac{1}{36}x\right)$$
$$= \frac{1}{54} = 2 \cdot \frac{1}{108} = 2f\left(\frac{1}{3}\right)$$

또는
$$f(a-x) + f(a+x)$$
$$= \left((a-x)^3 - (a-x)^2 + \frac{1}{4}(a-x)\right) + \left((a+x)^3 - (a+x)^2 + \frac{1}{4}(a+x)\right)$$
$$= 2a^3 + 6ax^2 - 2(a^2 + x^2) + \frac{a}{2} = 2a^3 - 2a^2 + \frac{a}{2} + (6a-2)x^2 = 2f(a) + (6a-2)x^2$$

이므로 $a=\dfrac{1}{3}$을 대입하면 된다.

(3) 위로부터 $g(x)=f\left(\dfrac{1}{3}\right)=\dfrac{1}{108}$임을 알 수 있다. 따라서, k의 값이 주어졌을 때, $y=\left|f(x)-f\left(\dfrac{1}{3}\right)\right|$의 그래프와 $y=k$의 그래프가 만나는 점의 개수를 구하면 된다.

（ i ） $k<0$: 이 경우에는 k의 값이 음수이므로 두 그래프는 만나지 않는다. 따라서, $p(k)=0$이다.

（ ii ） $k=0$: 이 경우에는 세 점에서 만나는 것을 확인할 수 있다. 따라서, $p(0)=3$이다.

（iii） $0<k<\dfrac{1}{108}$: 이 경우에는 6개의 점에서 만나므로 $p(k)=6$이다.

（iv） $k=\dfrac{1}{108}$: 이 경우에는 4개의 점에서 만나므로 $p\left(\dfrac{1}{108}\right)=4$이다.

（ v ） $k>\dfrac{1}{108}$: 이 경우에는 두 점에서 만나므로 $p(k)=2$이다.

이를 통해 함수 $p(k)$는 $k=0,\ \dfrac{1}{108}$에서 불연속임을 알 수 있다.

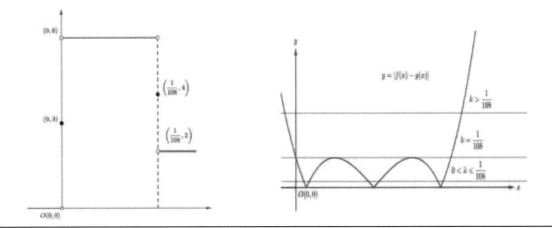

<문제 2> 함수 $f(x)$와 $g(x)$가 실수 전체집합에서 미분가능하고 도함수 $f'(x)$와 $g'(x)$가 실수 전체집합에서 연속이다. 모든 자연수 n에 대하여 함수 $H(n)$을 다음과 같이 정의하자.

$$H(n)=\int_0^n f'(x)g(2n-x)dx-\int_n^{2n} g'(x)f(2n-x)dx$$

다음 질문에 답하시오. [총 25점]

(1) $f(0)=1$, $f(1)=2$, $g(1)=5$, $g(2)=-1$일 때, $H(1)$의 값을 구하시오. [5점]

(2) $f(x)=a^x$이고 $g(x)=\sin\dfrac{\pi}{4}x$일 때, $H(n)$을 n에 대한 식으로 나타내시오. (단, $a>0$, $a\neq1$이다.) [10점]

(3) 위의 $H(n)$에 대하여 $a=\dfrac{1}{\sqrt{2}}$일 때, 급수 $\displaystyle\sum_{n=1}^{\infty}\{H(4n-3)+H(4n-1)\}$의 합을 구하시오. [10점]

(1) $2-x=u$로 치환을 하면, 다음과 같은 식을 얻을 수 있다.

$$\int_1^2 g'(x)f(2-x)dx = \int_1^0 g'(2-u)f(u)(-du) = \int_0^1 g'(2-u)f(u)du$$

따라서, $H(1)$을 다음과 같이 나타낼 수 있다.

$$H(1) = \int_0^1 f'(x)g(2-x)dx - \int_1^2 g'(x)f(2-x)dx = \int_0^1 f'(x)g(2-x)dx - \int_0^1 g'(2-u)f(u)du$$

$$= \int_0^1 \{f'(x)g(2-x) - f(x)g'(2-x)\}dx$$

부분적분법을 이용하여 다음의 정적분을 계산하면

$$H(1) = \int_0^1 \{f'(x)g(2-x) - f(x)g'(2-x)\}dx = [f(x)g(2-x)]_0^1 = f(1)g(1) - f(0)g(2)$$

이 되고, $f(1)$, $g(1)$, $f(0)$, $g(2)$의 값을 이용하면 $H(1) = 2 \cdot 5 - 1 \cdot (-1) = 11$이 된다.

(2)

$2n-x=u$로 치환을 하면, 다음과 같은 식을 얻을 수 있다.

$$\int_n^{2n} g'(x)f(2n-x)dx = \int_n^0 g'(2n-u)f(u)(-du) = \int_0^n g'(2n-u)f(u)du$$

따라서, $H(n)$을 다음과 같이 나타낼 수 있다.

$$H(n) = \int_0^n f'(x)g(2n-x)dx - \int_n^{2n} g'(x)f(2n-x)dx$$

$$= \int_0^n f'(x)g(2n-x)dx - \int_0^n g'(2n-u)f(u)du$$

$$= \int_0^n \{f'(x)g(2n-x) - f(x)g'(2n-x)\}dx$$

부분적분법을 이용하여 다음의 정적분을 계산하면

$$H(n) = \int_0^n \{f'(x)g(2n-x) - f(x)g'(2n-x)\}dx = [f(x)g(2n-x)]_0^n = f(n)g(n) - f(0)g(2n)$$

$f(x) = a^x$이고, $g(x) = \sin\dfrac{\pi}{4}x$이므로 $H(n) = a^n \sin\dfrac{n\pi}{4} - \sin\dfrac{n\pi}{2}$가 된다.

(3)

〈문제 2〉 (2)에서 $H(n) = \left(\dfrac{1}{\sqrt{2}}\right)^n \sin\dfrac{n\pi}{4} - \sin\dfrac{n\pi}{2}$임을 알 수 있고,

$a_n = H(4n-3) + H(4n-1)$이라 하자.

$$a_n = H(4n-3) + H(4n-1)$$

$$= \left(\frac{1}{\sqrt{2}}\right)^{4n-3} \sin\frac{(4n-3)\pi}{4} - \sin\frac{(4n-3)\pi}{2} + \left(\frac{1}{\sqrt{2}}\right)^{4n-1} \sin\frac{(4n-1)\pi}{4} - \sin\frac{(4n-1)\pi}{2}$$

인데, 삼각함수의 대칭성과 주기성에 의해 모든 자연수 n에 대해

$\sin\dfrac{(4n-3)\pi}{2} + \sin\dfrac{(4n-1)\pi}{2} = 0$이 성립하므로

$$a_n = H(4n-3) + H(4n-1) = \left(\frac{1}{\sqrt{2}}\right)^{4n-3} \sin\frac{(4n-3)\pi}{4} + \left(\frac{1}{\sqrt{2}}\right)^{4n-1} \sin\frac{(4n-1)\pi}{4}$$

이다. 이 때, a_{n+1}을 계산해보면,

$$a_{n+1} = H(4n+1) + H(4n+3) = \left(\frac{1}{\sqrt{2}}\right)^{4n+1} \sin\frac{(4n+1)\pi}{4} + \left(\frac{1}{\sqrt{2}}\right)^{4n+3} \sin\frac{(4n+3)\pi}{4}$$

이다. 한편, $\sin(\pi+\theta) = -\sin\theta$이므로

$\sin\dfrac{(4n+1)\pi}{4} = -\sin\dfrac{(4n-3)\pi}{4}$ 이고, $\sin\dfrac{(4n+3)\pi}{4} = -\sin\dfrac{(4n-1)\pi}{4}$ 이 성립한다.

따라서, $a_{n+1} = -\dfrac{1}{4}a_n$임을 알 수 있다.

첫째항은 $a_1 = H(1) + H(3) = \dfrac{1}{\sqrt{2}}\sin\dfrac{\pi}{4} + \left(\dfrac{1}{\sqrt{2}}\right)^3 \sin\dfrac{3\pi}{4} = \dfrac{1}{2} + \dfrac{1}{4} = \dfrac{3}{4}$이고 공비가 $-\dfrac{1}{4}$이

므로 주어진 급수의 합은 $\dfrac{\dfrac{3}{4}}{1+\dfrac{1}{4}} = \dfrac{3}{5}$이다.

<문제 3> 중심이 $A(0, 1)$이고 원점 $O(0, 0)$을 지나는 원 C 위에 $\angle OAP_1 = \angle OAP_2 = \theta$

인 두 점 P_1, P_2가 그림과 같이 놓여 있다. 다음 질문에 답하시오. (단, $0 < \theta < \dfrac{\pi}{2}$이다.)

[총 25점]

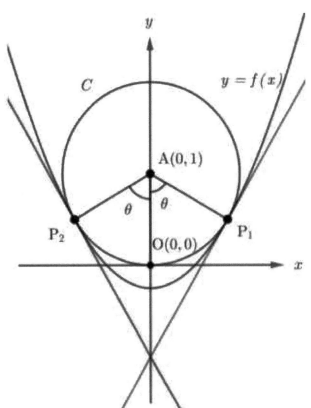

(1) 원 C와 $f(x)=ax^2+bx+c$의 그래프가 두 점 P_1, P_2에서 만나고, 점 P_1, P_2에서 원 C의 접선과 곡선 $y=f(x)$의 접선이 일치한다. $\theta=\dfrac{\pi}{3}$일 때, 점 P_1에서 원 C의 접선의 방정식과 함수 $f(x)$를 구하시오. [8점]

(2) $\theta=\dfrac{\pi}{3}$일 때, 원 C와 곡선 $y=f(x)$로 둘러싸인 영역의 넓이를 구하시오. [10점]

(3) 원 C와 y축 위의 한 점에서 만나고, 원 C위의 점 P_1과 P_2에서의 두 접선에 모두 접하는 원 중 작은 원의 반지름을 r_1, 큰 원의 반지름을 r_2라 하자. $\dfrac{r_2}{r_1}=4$일 때, $\cos\theta$의 값을 구하시오. [7점]

---

(1)

점 P_1의 좌표는 $\left(\sin\dfrac{\pi}{3},\ 1-\cos\dfrac{\pi}{3}\right)=\left(\dfrac{\sqrt{3}}{2},\ \dfrac{1}{2}\right)$이고, 이 점에서 원의 접선의 기울기는 $\tan\dfrac{\pi}{3}=\sqrt{3}$이므로 접선의 방정식은 $y=\sqrt{3}x-1$이다. 같은 방법으로 점 P_2에서의 접선의 방정식은 $y=-\sqrt{3}x-1$이다. 이제 곡선의 방정식을 구하자. 이 곡선은 y축에 대칭인 두 점 P_1, P_2를 지나므로 $b=0$이다. 그리고 점 P_1에서의 기울기는 $2a\left(\dfrac{\sqrt{3}}{2}\right)=\sqrt{3}$이므로 $a=1$이다. 마지막으로 이 곡선은 점 P_1을 지나므로 $\dfrac{1}{2}=\left(\dfrac{\sqrt{3}}{2}\right)^2+c$로부터 $c=-\dfrac{1}{4}$이다. 따라서 $f(x)=x^2-\dfrac{1}{4}$이다.

(2)

두 접선의 교점을 Q라 두면 구하는 영역의 넓이는 사각형 AP_2QP_1의 넓이에서 부채꼴 AP_2P_1의 넓이와 (1)에서 구한 곡선과 두 접선 사이의 넓이를 빼주면 된다. 사각형 AP_2QP_1의 넓이는 $\tan\dfrac{\pi}{3}=\sqrt{3}$이고 부채꼴의 넓이는 $\dfrac{\pi}{3}$, 그리고 곡선과 두 접선 사이의 넓이는

$$2\int_0^{\frac{\sqrt{3}}{2}}\left\{x^2-\dfrac{1}{4}-(\sqrt{3}x-1)\right\}dx=\dfrac{\sqrt{3}}{4}$$

이므로 구하는 넓이는 $\dfrac{3\sqrt{3}}{4}-\dfrac{\pi}{3}$이다.

(**다른 방법:** 직선 $y=1-\cos\dfrac{\pi}{3}=\dfrac{1}{2}$와 $y=f(x)$사이의 넓이

$$2\int_0^{\frac{\sqrt{3}}{2}}\left\{\dfrac{1}{2}-\left(x^2-\dfrac{1}{4}\right)\right\}dx=\dfrac{3\sqrt{3}}{4}-\dfrac{\sqrt{3}}{4}=\dfrac{\sqrt{3}}{2}$$ 에서 부채꼴 AP_2P_1의 넓이를 빼고 삼각형

AP_2P_1의 넓이를 더해주면 된다. 부채꼴 AP_2P_1의 넓이는 $\dfrac{\pi}{3}$이고 삼각형의 넓이는

$\sin\dfrac{\pi}{3}\cos\dfrac{\pi}{3}=\dfrac{\sqrt{3}}{4}$이므로 구하는 넓이는 $\dfrac{3\sqrt{3}}{4}-\dfrac{\pi}{3}$이다.)

(3)

닮은 직각삼각형에 비례식을 적용하면 작은 원의 반지름은 $1:\sec\theta=r_1:\left(\sec\theta-1-r_1\right)$

으로부터 $r_1=\dfrac{1-\cos\theta}{1+\cos\theta}$이다.

큰 원의 반지름은 $r_1\sec\theta=\mathrm{r}\sec\theta-\mathrm{r}-\mathrm{r}_1$으로부터 $r_2=\dfrac{1+\cos\theta}{1-\cos\theta}$이다.

$\dfrac{r_2}{r_1}=\dfrac{(1+\cos\theta)^2}{(1-\cos\theta)^2}=4$로부터 $3\cos^2\theta-10\cos\theta+3=(3\cos\theta-1)(\cos\theta-3)=0$이 성립하고

이로부터 $\cos\theta=\dfrac{1}{3}$이다.

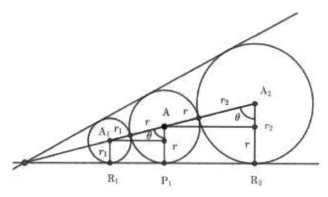

(**다른 방법:** $\cos\theta=\dfrac{\mathrm{r}-r_1}{\mathrm{r}+r_1}=\dfrac{r_2-r}{r_2+r}$이 성립하고 $\dfrac{r_2}{r_1}=4$이므로 이 식에 $r=1$과 $r_2=4r_1$을

대입하고 정리하면 $(1-r_1)(4r_1+1)=(r_1+1)(4r_1-1)$으로부터 $8r_1^2=2$가 되고 이로부터

$r_1=\dfrac{1}{2}$, $r_2=2$가 된다. 따라서 $\cos\theta=\dfrac{1}{3}$이다.)

<문제 4> 다음 그림과 같이 A(0, 0), B(4, 4)를 연결하는 도로망이 주어졌다. 성신이는 지점 A에서 출발하여 지점 B로 도로망을 따라 최단 경로로 이동하고, 수정이는 지점 B에서 출발하여 지점 A로 도로망을 따라 최단 경로로 이동한다. 도로망에서 두 지점 사이의 거리는 도로망을 따라 이동할 수 있는 최단 경로의 길이로 정의한다. 예를 들면 두 지점 (1, 2)와 (3, 3)사이의 거리는 $|3-1|+|3-2|=3$이다. 다음 질문에 답하시오. (단, 두 사람은 동시에 출발하여 같은 속력으로 이동하고, 갈림길에서 가능한 다음 경로는 모두 같은 확률로 선택된다.) [총 25점]

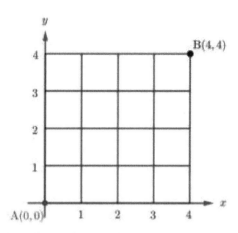

(1) 성신이와 수정이가 거리 4만큼 이동한 후 멈추었을 때, 서로 만날 확률을 구하시오. [7점]

(2) 성신이가 거리 3만큼 이동한 후 멈춘 지점을 P라 하고, 수정이가 거리 3만큼 이동한 후 멈춘 지점을 Q라 하자. 성신이 (지점 P)와 수정이 (지점 Q)사이의 거리를 확률변수 X라 할 때, X의 확률분포표를 구하시오. [10점]

(3) 위에서 구한 확률변수 X의 확률분포표로부터 X의 기댓값(평균)과 표준편차를 구하시오. [8점]

---

(1)

동시에 출발하여 같은 속력으로 이동하는 성신이와 수정이가 거리 4만큼 이동한 후 만난다면 만나는 점은 $(4, 0)$, $(3, 1)$, $(2, 2)$, $(1, 3)$, $(0, 4)$ 중 하나이다. 성신이와 수정이가 거리 4만큼 이동하는 경우의 수는 각각 2^4이므로 총 2^8가지이고 이 중 두 사람이 만날 경우의 수는

$$_4C_4 \cdot {_4C_0} + {_4C_3} \cdot {_4C_1} + {_4C_2} \cdot {_4C_2} + {_4C_1} \cdot {_4C_3} + {_4C_0} \cdot {_4C_4} = 1 + 16 + 36 + 16 + 1 = 70$$

이므로 확률은 $\dfrac{35}{128}$이다.

(2)

성신이가 거리 3만큼 이동한 후 멈춘 지점 P는 $(0, 3)$, $(1, 2)$, $(2, 1)$, $(3, 0)$ 중 하나이고 수정이가 거리 3만큼 이동한 후 멈춘 지점 Q는 $(1, 4)$, $(2, 3)$, $(3, 2)$, $(4, 1)$ 중 하나이다. 가능한 P와 Q의 쌍은 16가지이고 P와 Q사이의 거리는 2, 4, 6 중 하나이다.

$X = 6$인 경우는 $(0, 3)-(4, 1)$, $(3, 0)-(1, 4)$등 2가지이고 이 경우의 확률은

$$_3C_3\left(\frac{1}{2}\right)^3 \times {_3C_0}\left(\frac{1}{2}\right)^3 + {_3C_0}\left(\frac{1}{2}\right)^3 \times {_3C_3}\left(\frac{1}{2}\right)^3 = \frac{2}{64}$$

이다.

$X = 4$인 경우는 $(0, 3)-(3, 2)$, $(1, 2)-(4, 3)$, $(2, 1)-(1, 4)$, $(3, 0)-(2, 3)$등 4가지이고 이 경우의 확률은

$$_3C_3\left(\frac{1}{2}\right)^3 \times {_3C_1}\left(\frac{1}{2}\right)^3 + {_3C_2}\left(\frac{1}{2}\right)^3 \times {_3C_3}\left(\frac{1}{2}\right)^3 + {_3C_1}\left(\frac{1}{2}\right)^3 \times {_3C_0}\left(\frac{1}{2}\right)^3 + {_3C_0}\left(\frac{1}{2}\right)^3 \times {_3C_1}\left(\frac{1}{2}\right)^3 = \frac{12}{64}$$

이다. 나머지 10가지 경우는 모두 거리가 2이고, 이때의 확률은 전체 확률의 합이 1이므로 $1-\left(\dfrac{2}{64}+\dfrac{12}{64}\right)=\dfrac{50}{64}$이다. 따라서 확률변수 X의 확률분포표는 다음과 같다.

X	2	4	6	합계
$\mathrm{P}(X=x)$	$\dfrac{50}{64}$	$\dfrac{12}{64}$	$\dfrac{2}{64}$	1

(3)

기댓값(평균): $\mathrm{E}(X)=2\times\dfrac{50}{64}+4\times\dfrac{12}{64}+6\times\dfrac{2}{64}=\dfrac{160}{64}=\dfrac{5}{2}$

분산:

$$\mathrm{V}(X)=\left(2-\dfrac{5}{2}\right)^2\times\dfrac{50}{64}+\left(4-\dfrac{5}{2}\right)^2\times\dfrac{12}{64}+\left(6-\dfrac{5}{2}\right)^2\times\dfrac{2}{64}=\dfrac{1\times50+9\times12+49\times2}{256}=1$$

(또는 $\mathrm{V}(X)=\mathrm{E}(X^2)-\mathrm{E}(X)^2=\dfrac{4\times50+16\times12+36\times2}{64}-\dfrac{25}{4}=1$)

표준편차: $\sigma(X)=\sqrt{\mathrm{V}(X)}=1$

6. 2022학년도 성신여대 모의 논술

<문제 1> $N(x)=\left(\dfrac{1}{2}\right)^x\times\sin(\theta x)\times\sin\left(\dfrac{\pi}{2}-\theta x\right)$일 때, 다음 질문에 답하시오. [총25점]

(1) $\displaystyle\lim_{x\to0}\dfrac{N(x)}{x}$를 구하시오. [7점]

(2) $\theta=\dfrac{\pi}{4}$일 때, 급수 $\displaystyle\sum_{n=1}^{\infty}|N(n)|$의 합을 구하시오. [8점]

(3) $\theta=\dfrac{\pi}{8}$일 때, 급수 $\displaystyle\sum_{n=1}^{20}\log_2\left(\left(\dfrac{1}{2}\right)^{n+1}+\cos(2\theta n)\times N(n)\right)$의 합을 구하시오. [10점]

(1)

$N(x)=\left(\dfrac{1}{2}\right)^x\times\sin(\theta x)\times\sin\left(\dfrac{\pi}{2}-\theta x\right)=\left(\dfrac{1}{2}\right)^x\times\sin(\theta x)\times\cos(\theta x)=\left(\dfrac{1}{2}\right)^{x+1}\times\sin(2\theta x)$

$\displaystyle\lim_{x\to0}\dfrac{N(x)}{x}=\dfrac{1}{2}\times\lim_{x\to0}\left(\dfrac{1}{2}\right)^x\times\lim_{x\to0}\dfrac{\sin2\theta x}{x}=\dfrac{1}{2}\times\lim_{x\to0}\dfrac{\sin2\theta x}{x}$

$t=2\theta x$로 놓으면 $x\to0$일 때 $t\to0$이므로

$\displaystyle\lim_{x\to0}\dfrac{\sin2\theta x}{x}=\lim_{x\to0}\left(2\theta\times\dfrac{\sin2\theta x}{2\theta x}\right)=2\theta\times\lim_{t\to0}\dfrac{\sin t}{t}=2\theta$

$\displaystyle\lim_{x\to0}\dfrac{N(x)}{x}=\dfrac{1}{2}\times2\theta=\theta$

(2)

$\theta = \dfrac{\pi}{4}$ **일 때,**

$$N(x) = \left(\frac{1}{2}\right)^{x+1} \times \sin\left(\frac{\pi}{2}x\right)$$

$\sin\left(\dfrac{\pi}{2}x\right)$**는** x**가 1부터 1씩 증가함에 따라** $1,\ 0,\ -1,\ 0,\ 1,\ 0,\ \cdots$**로 나타난다**

따라서

$$\sum_{n=1}^{\infty} |N(n)| = \left(\frac{1}{2}\right)^2 + 0 + \left(\frac{1}{2}\right)^4 + 0 + \left(\frac{1}{2}\right)^6 + \cdots$$

주어진 급수는 첫째항이 $\dfrac{1}{4}$**이고 공비가** $\dfrac{1}{4}$**인 무한등비급수이다.**

$$\sum_{n=1}^{\infty} |N(n)| = \sum_{n=1}^{\infty} \frac{1}{4}\left(\frac{1}{4}\right)^{n-1} = \frac{\dfrac{1}{4}}{1-\dfrac{1}{4}} = \frac{1}{3}$$

(3)

$N(x) = \left(\dfrac{1}{2}\right)^{x+1} \times \sin(2\theta x)$**에서**

$$\left(\frac{1}{2}\right)^{x+1} + \cos(2\theta x) \times N(x)$$

$$= \left(\frac{1}{2}\right)^{x+1} + \cos(2\theta x) \times \left(\frac{1}{2}\right)^{x+1} \times \sin(2\theta x)$$

$$= \left(\frac{1}{2}\right)^{x+1}\left(1 + \frac{1}{2}\sin(4\theta x)\right) = \left(\frac{1}{2}\right)^{x+2}(2 + \sin(4\theta x))$$

따라서,

$$\log_2\left(\left(\frac{1}{2}\right)^{x+1} + \cos(2\theta x) \times N(x)\right) = \log_2\left(\frac{1}{2}\right)^{x+2}(2+\sin(4\theta x)) = -(x+2) + \log_2(2+\sin(4\theta x))$$

$\theta = \dfrac{\pi}{8}$ **일 때,** $2 + \sin(4\theta x) = 2 + \sin\left(\dfrac{\pi}{2}x\right)$**이므로**

$$\sum_{n=1}^{20}\left(-(n+2) + \log_2\left(2+\sin\left(\frac{\pi}{2}n\right)\right)\right) = \sum_{n=1}^{20}(-(n+2)) + \sum_{n=1}^{20}\log_2\left(2+\sin\left(\frac{\pi}{2}n\right)\right)$$

$$= -\frac{20\times 21}{2} - 2\times 20 + \sum_{n=1}^{20}\log_2\left(2+\sin\left(\frac{\pi}{2}n\right)\right)$$

$2 + \sin\left(\dfrac{\pi}{2}n\right)$**은** n**이 1부터 1씩 증가함에 따라** $3,\ 2,\ 1,\ 2,\ 3,\ 2,\ 1,\ 2\cdots$**로 나타나므로**

$$\sum_{n=1}^{20}\log_2\left(2+\sin\left(\frac{\pi}{2}n\right)\right) = (\log_2 3 + 1 + 0 + 1)\times 5 = 5\log_2 3 + 10$$

이다. 따라서, 구하는 식의 값은 $5\log_2 3 - 240$**이다.**

<문제 2> 주어진 3차 함수 $f(x) = x^3 + ax^2 + bx + c$는 다음 조건을 만족한다.

| 가. 모든 실수 x에 대해 $f(-x) = -f(x)$ |
| 나. $\displaystyle\lim_{x \to 2} \frac{f(x)}{x-2} = 8$ |

질문에 답하시오. [총25점]

(1) $f(x)$를 구하시오. [5점]

(2) $y = f(x)$와 $y = 2x^2 + k$가 서로 다른 두 점에서 만날 k의 조건을 찾고, 이 중 $k < 0$인 경우에 이 두 곡선으로 둘러싸인 영역의 넓이를 구하시오. [10점]

(3) 직선 $y = x$와 평행한 직선 중 곡선 $y = f(x)$와 접하는 두 직선과, 직선 $y = -x$와 평행한 직선 중 곡선 $y = f(x)$와 접하는 두 직선으로 둘러싸인 직사각형의 넓이를 구하시오. [10점]

---

(1)

모든 실수 x에 대하여 $f(-x) = -f(x)$가 성립하므로
$$(-x)^3 + a(-x)^2 + b(-x) + c = -\left(x^3 + ax^2 + bx + c\right)$$
로부터 $2ax^2 + 2c = 0$이고 이로부터 $a = 0$, $c = 0$이다.

$\displaystyle\lim_{x \to 2} \frac{f(x)}{x-2} = 8$로부터 $f(2) = 0$이 됨을 알 수 있고 이로부터 $8 + 2b = 0$이므로 $b = -4$이다.

따라서 $f(x) = x^3 - 4x$가 된다.

(2)

$y = f(x)$와 $y = 2x^2 + k$가 서로 다른 두 점에서 만나려면 $x^3 - 4x = 2x^2 + k$가 두 실근을 가지면 된다. 따라서 3차 곡선 $y = x^3 - 2x^2 - 4x$의 그래프와 x축에 평행한 직선 $y = k$가 서로 다른 두 점에서 만나는 k의 값을 구하면 된다.

$g(x) = x^3 - 2x^2 - 4x$라 두면
$$g'(x) = 3x^2 - 4x - 4 = (3x+2)(x-2) = 0$$
으로부터 $x = -\dfrac{2}{3}$ 또는 $x = 2$에서 극값을 갖고

$g\left(-\dfrac{2}{3}\right) = \dfrac{40}{27}$, $g(2) = -8$이므로 $k = \dfrac{40}{27}$ 또는 $k = -8$이면 서로 다른 두 점에서 만난다.

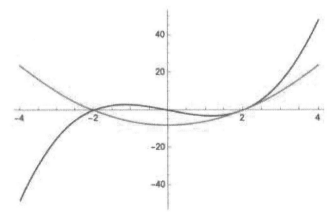

120

$k=-8$인 경우 두 곡선 $y=f(x)$와 $y=2x^2-8$은 $x=-2$와 $x=2$에서 만나고 그래프는 가 되므로 두 곡선으로 둘러싸인 영역의 넓이는

$$\int_{-2}^{2}(x^3-4x-(2x^2-8))dx=\frac{64}{3}$$

이다.

(3)

$f'(x)=3x^2-4$로부터 $f'(x)=1$을 만족하는 값은 $x=\pm\sqrt{\frac{5}{3}}$ 이고 $f'(x)=-1$을 만족하는 값은 $x=\pm1$이다. 따라서 기울기가 1인 직선 중 이 곡선에 접하는 직선의 방정식은 $y=x\pm\frac{10\sqrt{15}}{9}$이고, 이 두 직선의 x절편 사이의 거리에 삼각함수를 적용하면 직사각형의 두 변 중 기울기가 -1인 직선 위에 놓여있는 변의 길이는 $\left(\frac{10\sqrt{15}}{9}-\frac{-10\sqrt{15}}{9}\right)\times\sin\left(\frac{\pi}{4}\right)$ 이다.

같은 방법으로 기울기가 -1인 직선 중 이 곡선에 접하는 직선의 방정식은 $y=-x\pm2$이고, 이로부터 직사각형의 두 변 중 기울기가 1인 직선 위에 놓여있는 변의 길이는 $(2-(-2))\times\sin\left(\frac{\pi}{4}\right)$이다.

따라서 주어진 직사각형의 면적은

$$2\times2\sin\left(\frac{\pi}{4}\right)\times2\times\frac{10\sqrt{15}}{9}\sin\left(\frac{\pi}{4}\right)=\frac{40\sqrt{15}}{9}$$

이다.

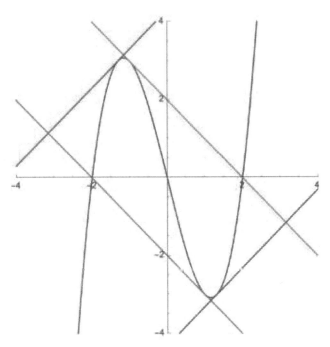

(삼각형의 면적을 구하는 여러 가지 방법을 이용해 원점에서 4개의 접선까지의 거리를 계산해도 된다.)

<문제 3> 다음 질문에 답하시오. [총25점]

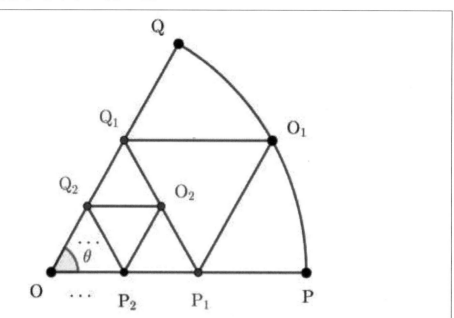

그림과 같이 반지름이 a이고 중심각이 θ인 부채꼴 POQ에 내접하는 정삼각형 $\triangle O_1 P_1 Q_1$의 꼭지점 중 호 PQ의 중점을 O_1, 선분 OP 위의 점을 P_1, 선분 OQ 위의 점을 Q_1이라 하자. 그리고 삼각형 $\triangle OP_1 Q_1$에 내접하는 정삼각형 $\triangle O_2 P_2 Q_2$의 꼭지점 중 선분 $P_1 Q_1$의 중점을 O_2, 선분 OP_1 위의 점을 P_2, 선분 OQ_1 위의 점을 Q_2라 하자. 이러한 작업은 무한히 반복할 수 있다. (단, $a>0$이고 $0<\theta<\pi$이다).

(1) 자연수 n에 대하여 정삼각형 $\triangle O_n P_n Q_n$의 한 변의 길이를 r_n이라 할 때, r_1, r_2의 값을 구하시오. [7점]

(2) 급수 $\displaystyle\sum_{n=1}^{\infty} r_n$의 합은 각 θ와 상관없이 일정함을 보이시오. [8점]

(3) 자연수 n에 대하여 정삼각형 $\triangle O_n P_n Q_n$의 넓이 A_n의 합 $\displaystyle\sum_{n=1}^{\infty} A_n$을 구하고 이 값은 $\dfrac{a^2}{\sqrt{3}}$ 보다 작음을 보이시오. [10점]

---

(1)

직각삼각형 $\triangle OO_2 P_1$에서 선분 $O_2 P_1$의 길이는 $\dfrac{r_1}{2}$, 각 $\angle P_1 OO_2$의 크기는 $\dfrac{\theta}{2}$이고 선분 OO_2의 길이는

$$a - r_1 \sin\frac{\pi}{3} = a - \frac{\sqrt{3}}{2} r_1 = \frac{r_1}{2\tan\left(\dfrac{\theta}{2}\right)}$$

이다.

이로부터 $r_1 = \dfrac{2a\tan\left(\dfrac{\theta}{2}\right)}{\sqrt{3}\tan\left(\dfrac{\theta}{2}\right)+1}$ 이다.

OO_2를 반지름으로 갖는 부채꼴에 위의 논의를 반복하면

$$r_2 = \frac{2\left(a-\dfrac{\sqrt{3}}{2}r_1\right)\tan\left(\dfrac{\theta}{2}\right)}{\sqrt{3}\tan\left(\dfrac{\theta}{2}\right)+1} = \frac{2a\tan\left(\dfrac{\theta}{2}\right)}{\sqrt{3}\tan\left(\dfrac{\theta}{2}\right)+1} \times \frac{1}{\sqrt{3}\tan\left(\dfrac{\theta}{2}\right)+1}$$

$$= r_1 \times \frac{1}{\sqrt{3}\tan\left(\dfrac{\theta}{2}\right)+1}$$

이다.

(2)

급수 $\displaystyle\sum_{n=1}^{\infty} r_n$는

초항이 $r_1 = \dfrac{2a\tan\left(\dfrac{\theta}{2}\right)}{\sqrt{3}\tan\left(\dfrac{\theta}{2}\right)+1}$ 이고, 공비가 $\dfrac{1}{\sqrt{3}\tan\left(\dfrac{\theta}{2}\right)+1}$ 이고

$0 < \dfrac{1}{\sqrt{3}\tan\left(\dfrac{\theta}{2}\right)+1} < 1$이므로 이 급수의 합은 $\dfrac{2a}{\sqrt{3}}$ 이다.

따라서 각 θ와 상관없이 일정하다.

(다른 풀이: 자연수 n에 대하여 선분 O_nO_{n+1}의 길이는 $r_n\sin\left(\dfrac{\pi}{3}\right) = \dfrac{\sqrt{3}}{2}r_n$이고 이의 합은

선분 OO_1의 길이가 된다. 따라서

$$a = \sum_{n=1}^{\infty} \frac{\sqrt{3}}{2}r_n = \frac{\sqrt{3}}{2}\sum_{n=1}^{\infty} r_n$$

이고 이로부터 $\displaystyle\sum_{n=1}^{\infty} r_n = \dfrac{2\sqrt{3}a}{3}$ 이다.)

(3)

정삼각형 $\triangle O_nP_nQ_n$의 넓이 A_n은 $\dfrac{1}{2}r_n^2\sin\left(\dfrac{\pi}{3}\right) = \dfrac{\sqrt{3}}{4}r_n^2$이므로

급수 $\displaystyle\sum_{n=1}^{\infty} A_n$는 초항이 $\dfrac{\sqrt{3}a^2\tan^2\left(\dfrac{\theta}{2}\right)}{\left(\sqrt{3}\tan\left(\dfrac{\theta}{2}\right)+1\right)^2}$이고 공비가 $\dfrac{1}{\left(\sqrt{3}\tan\left(\dfrac{\theta}{2}\right)+1\right)^2}$ 인 등비급수이고

이의 합은

$$\frac{\dfrac{\sqrt{3}\,a^2\tan^2\!\left(\dfrac{\theta}{2}\right)}{\left(\sqrt{3}\tan\!\left(\dfrac{\theta}{2}\right)+1\right)^2}}{1-\dfrac{1}{\left(\sqrt{3}\tan\!\left(\dfrac{\theta}{2}\right)+1\right)^2}}=\frac{a^2\tan\!\left(\dfrac{\theta}{2}\right)}{\sqrt{3}\tan\!\left(\dfrac{\theta}{2}\right)+2}=\frac{a^2}{\sqrt{3}+2\cot\!\left(\dfrac{\theta}{2}\right)}$$

이다.

$0<\theta<\pi$에서 $\cot\!\left(\dfrac{\theta}{2}\right)>0$이므로 $\dfrac{a^2}{\sqrt{3}+2\cot\!\left(\dfrac{\theta}{2}\right)}<\dfrac{a^2}{\sqrt{3}}$ 이다.

<문제 4> 다음 질문에 답하시오. [총25점]

(1) $f(x)=\log_2 x$, $g(x)=\log_4 x$이고 $n\in\{x\mid 1\le x\le 10$인 자연수$\}$에 대하여 집합 A_n을

$$A_n=\{k\mid g(n)\le k\le f(n)$ 인 정수$\}$$

으로 정의할 때, $A_1\cup A_2\cup\cdots\cup A_{10}$의 원소 개수를 구하시오. [7점]

(2) N_k를 $k\log_n 2$가 자연수가 되는 2보다 크거나 같은 자연수 n의 개수라 할 때, $1\le k\le 10$인 각각의 자연수 k에 대하여 N_k를 구하시오. [10점]

(3) 위 (2)의 N_k에 대하여 $\displaystyle\sum_{k=1}^{\infty}\frac{1}{k\cdot N_{2^{k+1}}}$의 값을 구하시오. [8점]

(1)

$f(x)$와 $g(x)$는 **연속인 증가함수이고**
$f(1)=0,\ f(2)=1,\ f(4)=2,\ f(8)=3,\ g(1)=0,\ g(4)=1$**이다.**

따라서

$$A_1=\{0\},\ A_2=\{1\},\ A_3=\{1\},\ A_4=\{1,\ 2\},\ A_5=\{2\},$$
$$A_6=\{2\},\ A_7=\{2\},\ A_8=\{2,\ 3\},\ A_9=\{2,\ 3\},\ A_{10}=\{2,\ 3\}$$

이 성립하고

$A_1\cup A_2\cup\cdots\cup A_{10}=\{0,\ 1,\ 2,\ 3\}$**이므로 원소 개수는 4개이다.**

(2)

자연수 m**에 대하여** $k\log_n 2=m$**이라면** $n^m=2^k$**가 성립한다.**

따라서 n**은** 2^k**의 약수이므로** $n=2^l$**형태이고** $\left(2^l\right)^m=2^k$**로부터** l**은** k**의 약수이어야 한다.**
그러므로 N_k**는** k**의 약수의 개수와 같고**

이로부터

$$N_1=1,\ N_2=2,\ N_3=2,\ N_4=3,\ N_5=2,\ N_6=4,\ N_7=2,\ N_8=4,\ N_9=3,\ N_{10}=4$$

이다.

(3)

(2)로부터 $N_{2^{k+1}}$**는** 2^{k+1}**의 약수의 개수이므로** $k+2$**이다.**

따라서

$$\sum_{k=1}^{\infty} \frac{1}{k \cdot N_{2^{k+1}}} = \sum_{k=1}^{\infty} \frac{1}{k \cdot (k+2)}$$

$$= \sum_{k=1}^{\infty} \frac{1}{2}\left(\frac{1}{k} - \frac{1}{k+2}\right)$$

$$= \lim_{n \to \infty} \sum_{k=1}^{n} \frac{1}{2}\left(\frac{1}{k} - \frac{1}{k+2}\right)$$

$$= \lim_{n \to \infty} \frac{1}{2}\left(1 + \frac{1}{2} - \frac{1}{n+1} - \frac{1}{n+2}\right) = \frac{3}{4}$$

이다.

7. 2021학년도 성신여대 수시 논술

<문제 1> 중심이 점 O이고 반지름의 길이가 1인 원에 내접하는 정n각형에서 이웃한 두 꼭짓점을 각각 P_n, Q_n이라고 하고, 점 O에서 선분 P_nQ_n에 내린 수선의 발을 R_n이라고 하자. 이 정n각형에 내접하는 원 O_n의 넓이를 a_n, 둘레의 길이를 b_n이라 하자. (단, n은 3 이상의 자연수)

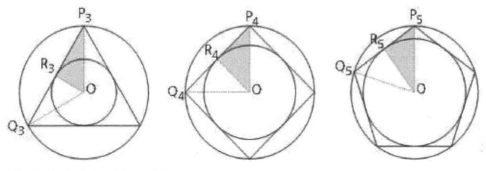

다음 물음에 답하시오. [총25점]

(1-1) 직각삼각형 OP_nR_n의 넓이를 구하시오. [7점]

(1-2) $b_6 - 2a_6$의 값을 구하시오. [6점]

(1-3) $\lim_{n \to \infty} n^2(b_n - 2a_n)$을 구하시오. [12점]

---

(1) $\angle P_nOR_n = \dfrac{1}{2} \times \dfrac{2\pi}{n} = \dfrac{\pi}{n}$**이고,** $OP_n = 1$, $P_nR_n = \sin\dfrac{\pi}{n}$, $OR_n = \cos\dfrac{\pi}{n}$**이므로 직각삼**

각형 OP_nR_n**의 넓이는** $\dfrac{1}{2} \times \sin\dfrac{\pi}{n} \times \cos\dfrac{\pi}{n}$**이다.**

(2) 정n**각형에 내접하는 원** O_n**의 반지름의 길이는** $OR_n = \cos\dfrac{\pi}{n}$**이므로, 원** O_n**의 넓이는**

$a_n = \pi\left(\cos\dfrac{\pi}{n}\right)^2$**이고, 둘레의 길이는** $b_n = 2\pi\cos\dfrac{\pi}{n}$**이다.**

따라서

$$b_6 - 2a_6 = 2\pi\cos\frac{\pi}{6} - 2\pi\left(\cos\frac{\pi}{6}\right)^2 = \pi\sqrt{3} - \frac{3}{2}\pi = \frac{\pi(2\sqrt{3}-3)}{2}$$

이다.

(3)

$$n^2\left(b_n - 2a_n\right) = n^2\left(2\pi\cos\frac{\pi}{n} - 2\pi\left(\cos\frac{\pi}{n}\right)^2\right) = 2\pi^3 \times \cos\frac{\pi}{n} \times \frac{1-\cos\frac{\pi}{n}}{\left(\frac{\pi}{n}\right)^2}$$

이고, $x = \dfrac{\pi}{n}$ **로 두면**

$$\lim_{x \to 0}\cos x = 1\text{이므로} \quad \lim_{n \to \infty}\cos\frac{\pi}{n} = 1\text{이고,}$$

$$\lim_{x \to 0}\frac{1-\cos x}{x^2} = \lim_{x \to 0}\frac{1-\cos^2 x}{x^2(1+\cos x)} = \lim_{x \to 0}\frac{\sin^2 x}{x^2(1+\cos x)} \text{ 인데,}$$

여기에서 $\displaystyle\lim_{x \to 0}\frac{\sin x}{x} = 1$**이므로**

$$\lim_{x \to 0}\frac{1-\cos x}{x^2} = \left(\lim_{x \to 0}\frac{\sin x}{x}\right)^2 \times \lim_{x \to 0}\frac{1}{1+\cos x} = 1^2 \times \frac{1}{2} = \frac{1}{2}$$

이다.

따라서 $\displaystyle\lim_{n \to \infty}\frac{1-\cos\frac{\pi}{n}}{\left(\frac{\pi}{n}\right)^2} = \frac{1}{2}$ **이므로**

$$\lim_{n \to \infty} n^2\left(b_n - 2a_n\right) = 2\pi^3 \times 1 \times \frac{1}{2} = \pi^3 \text{이다.}$$

<문제 2> 구간 $[0,\,2]$에서 연속인 함수 $f(x)$에 대하여 $F(x) = \displaystyle\int_0^x f(t)dt$로 정의할 때 다음 조건이 모두 성립한다고 하자.

> (가) $1 \le x \le 2$이면 $f(x) \le 4 - \cos\pi x$이다.
> (나) $0 \le x \le 1$이면 $f(x) = a\sin\pi x + b\cos\pi x$이다. (a, b는 상수)
> (다) $F(1) = 2$, $F(2) = 6$

다음 물음에 답하시오. [총25점]

$(2-1)$ $f\left(\dfrac{3}{2}\right)$의 값을 구하시오. [10점]

$(2-2)$ 상수 a, b의 값을 구하시오. [8점]

$(2-3)$ $F\left(\dfrac{1}{2}\right) + F\left(\dfrac{3}{2}\right)$의 값을 구하시오. [7점]

(1) 구간 $[1, 2]$에서 연속인 함수 $g(x) = 4 - \cos\pi x - f(x)$에 대하여 $g(x) \geq 0$이므로

$G(x) = \displaystyle\int_0^x g(t)dt$로 두면

$1 \leq a < b \leq 2$일 때 $G(b) - G(a) = \displaystyle\int_a^b g(t)dt \geq 0$, 즉 $G(a) \leq G(b)$가 성립한다. 그런데

$$G(1) = \int_0^1 g(t)dt = \int_0^1 (4 - \cos\pi t - f(t))dt = \left[4t - \frac{1}{\pi}\sin\pi t\right]_0^1 - F(1) = 4 - 2 = 2$$

$$G(2) = \int_0^2 g(t)dt = \int_0^2 (4 - \cos\pi t - f(t))dt = \left[4t - \frac{1}{\pi}\sin\pi t\right]_0^2 - F(2) = 8 - 6 = 2,$$

즉 $G(1) = 2 = G(2)$이므로 $1 \leq x \leq 2$인 모든 x에 대하여 $G(x) = 2$인 상수함수이다.

따라서 $1 < x < 2$인 모든 x에 대하여

$$0 = G'(x) = g(x) = 4 - \cos\pi x - f(x)$$

이고, $f(x) = 4 - \cos\pi x$이다. 그러므로 $f\left(\dfrac{3}{2}\right) = 4$이다.

(2) 구간 $[0, 1]$에서 $f(x) = a\sin\pi x + b\cos\pi x$이므로 $f(1) = b\cos\pi = -b$이며,

구간 $[1, 2]$에서 $f(x) = 4 - \cos\pi x$이므로 $f(1) = 4 - \cos\pi = 4 - (-1) = 5$이다.

이때 f가 $x = 1$에서 연속이므로 $b = -5$이다. 그리고

$$2 = F(1) = \int_0^1 (a\sin\pi t - 5\cos\pi t)dt = \left[-\frac{a}{\pi}\cos\pi t - \frac{5}{\pi}\sin\pi t\right]_0^1 = \frac{2a}{\pi}$$

이므로 $a = \pi$이다.

(3)

$$F\left(\frac{1}{2}\right) = \int_0^{\frac{1}{2}} f(t)dt = \int_0^{\frac{1}{2}} (\pi\sin\pi t - 5\cos\pi t)dt = \left[-\cos\pi t - \frac{5}{\pi}\sin\pi t\right]_0^{\frac{1}{2}} = -\frac{5}{\pi} + 1$$

$$F\left(\frac{3}{2}\right) = \int_0^{\frac{3}{2}} f(t)dt = \int_0^1 f(t)dt + \int_1^{\frac{3}{2}} (4 - \cos\pi t)dt$$

$$= F(1) + \left[4t - \frac{1}{\pi}\sin\pi t\right]_1^{\frac{3}{2}} = 2 + 2 + \frac{1}{\pi} = 4 + \frac{1}{\pi}$$

따라서 $F\left(\dfrac{1}{2}\right) + F\left(\dfrac{3}{2}\right) = 5 - \dfrac{4}{\pi}$이다.

<문제 3> 아래 그림과 같이 반지름의 길이가 2π인 원에 내접하는 정삼각형 ABC를 다음 세 조건을 만족하는 반지름의 길이가 r인 원의 호로 이루어진 길 위로 굴리려고 한다.

(가) 정수 n에 대하여 원 C_n은 x축 위에 차례대로 놓인 점 O_n을 중심으로 하고 반지름의 길이가 r인 원이고, 선분 O_nO_{n+1}의 길이는 n의 값과 관계없이 모두 같다.

(나) 원 C_n과 원 C_{n+1}의 두 교점 중 x축 위쪽에서 만나는 점을 P_n이라 할 때, 중심각의 크기가 π보다 작은 부채꼴 $O_nP_nP_{n-1}$의 호 $P_{n-1}P_n$의 길이는 정삼각형

ABC의 한 변 AB의 길이와 같다.

(다) 정삼각형 ABC의 한 꼭짓점 A가 점 P_0에 있을 때, 직선 AB는 원 C_1에 접하고, 직선 AC는 원 C_0에 접한다.

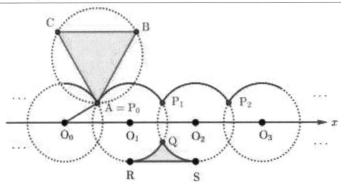

다음 물음에 답하시오. [총25점]

(3-1) 선분 AB의 길이와 반지름의 길이 r(선분 $O_n P_n$의 길이)를 구하시오. [12점]

(3-2) 조건 (가) (다)를 만족하는 원의 호로 이루어진 길을 따라 정삼각형 ABC가 한 바퀴 굴렀을 때 점 A가 점 A′으로 옮겨졌다. 선분 AA′의 길이를 구하시오. [5점]

(3-3) 위의 그림과 같이 원 C_1위의 점 R과 원 C_2위의 점 S를 연결한 직선이 두 원 C_1과 C_2에 동시에 접하고, 점 Q는 두 원 C_1과 C_2의 두 교점 중 P_1이 아닌 점이다. 선분 RS, 호 RQ, 호 QS로 둘러싸인 색칠된 도형의 넓이를 구하시오. [8점]

---

(1) 반지름의 길이가 2π인 원에 내접하는 삼각형 ABC의 한 변의 길이는

$$\overline{AB} = 2 \times 2\pi \times \sin\frac{\pi}{3} = 2 \times 2\pi \times \cos\frac{\pi}{6} = 2\pi\sqrt{3}$$

이다. 직선 AB가 점 P_0에서 원 C_1에 접하므로 직선 AB와 직선 $O_1 P_0$는 서로 수직이고 직선 BC와 x축은 서로 평행하므로 각 $P_0 O_1 O_0$의 크기는 $\frac{\pi}{6}$이다. 그러므로 각 $P_0 O_1 P_1$의 크기는 $\frac{2\pi}{3}$이고 호 $P_0 P_1$의 길이는 $r \times \frac{2\pi}{3}$이다. 문제의 조건으로부터 선분 AB의 길이와 호 $P_0 P_1$의 길이가 같으므로 $2\pi\sqrt{3} = r \times \frac{2\pi}{3}$이고 이로부터 $r = 3\sqrt{3}$이다.

(2) 선분 $P_0 P_1$의 길이는 반지름의 길이가 $3\sqrt{3}$인 원의 중심각 $\frac{2\pi}{3}$에 대응하는 현의 길이이므로 $2 \times 3\sqrt{3} \times \sin\frac{\pi}{3} = 9$이다. 따라서 $\triangle ABC$가 주어진 길을 따라 한 바퀴 돌 때 선분 AA′의 길이는 $3 \times \overline{P_0 P_1} = 3 \times 9 = 27$이다.

(3) 구하는 도형의 넓이는 사각형 $RSO_2 O_1$의 넓이에서 부채꼴 $O_1 RQ$의 넓이와 부채꼴 $O_2 QS$의 넓이, 그리고 삼각형 $O_1 QO_2$의 넓이의 합을 빼면 된다.

사각형 $RSO_2 O_1$의 넓이: 주어진 사각형은 직각사각형이고 $\overline{O_1 O_2} = \overline{P_0 P_1}$, $\overline{O_1 R} = r$이므로

128

$$\overline{O_1O_2} \times \overline{O_1R} = 9 \times 3\sqrt{3} = 27\sqrt{3}$$

부채꼴 O_1RQ와 부채꼴 O_2QS의 넓이는 같고 이 부채꼴의 반지름의 길이는 $r = 3\sqrt{3}$,

중심각은 $\dfrac{\pi}{3}$이므로 각각의 넓이는 $\dfrac{1}{2}r^2\theta = \dfrac{1}{2} \times (3\sqrt{3})^2 \times \dfrac{\pi}{3} = \dfrac{9\pi}{2}$

$$\triangle O_1QO_2\text{의 넓이: } \dfrac{1}{2} \times \overline{PQ} \times r\sin\dfrac{\pi}{6} = \dfrac{1}{2} \times 9 \times 3\sqrt{3} \times \dfrac{1}{2} = \dfrac{27\sqrt{3}}{4}$$

따라서 구하는 넓이는 $\dfrac{81\sqrt{3}}{4} - 9\pi = \dfrac{9}{4} \times (9\sqrt{3} - 4\pi)$이다.

<문제 4> 다음 물음에 답하시오. [총25점]

(4-1) 좌표평면 위의 세 점 P(10, 0), Q(20, 0), R(0, 20)을 꼭짓점으로 하는 삼각형 PQR의 둘레와 내부에 놓여 있는 x, y좌표가 모두 정수인 점의 개수를 구하시오. [7점]

(4-2) 자연수 n에 대하여 좌표평면 위의 네 점 A(n, 0), B(0, n), C($-n$, 0), D(0, $-n$)을 꼭짓점으로 하는 정사각형 ABCD의 둘레와 내부에 놓여 있는 x, y좌표가 모두 정수인 점의 개수를 $N(n)$이라 할 때, $\displaystyle\sum_{k=1}^{11} N(k)$의 값을 구하시오. [8점]

(4-3) $x + y + z = 20$을 만족하는 자연수 x, y, z에 대하여 x는 홀수, y는 짝수, z는 소수인 순서쌍 (x, y, z)의 개수를 구하시오. [10점]

---

(1) $0 \le n \le 20$인 정수 n에 대하여 주어진 도형의 둘레와 내부에 놓인 각 좌표가 정수인 순서쌍 중 $x = n$인 점의 개수를 세면 직선 PR의 방정식은 $2x + y = 20$, 직선 QR의 방정식은 $x + y = 20$이므로

$$\begin{cases} n+1, & 0 \le n \le 10 \\ 21-n, & 11 \le n \le 20 \end{cases}$$ 을 만족한다.

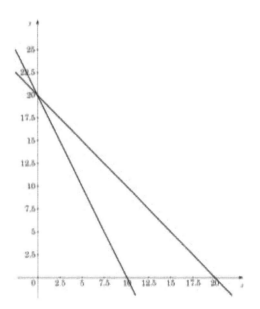

따라서 각 좌표가 정수인 점의 개수는 $\displaystyle\sum_{n=0}^{10}(n+1) + \sum_{n=11}^{20}(21-n) = 2\sum_{n=1}^{10} n + 11 = 121$개다.

(2) 자연수 n에 대하여 좌표평면 위의 네 점 A$(n,\ 0)$, B$(0,\ n)$, C$(-n,\ 0)$, D$(0,\ -n)$을 꼭짓점으로 하는 정사각형 ABCD의 둘레와 내부에 놓여 있는 $x,\ y$좌표가 모두 정수인 점의 개수를 $N(n)$을 구하자. $-n \le k \le n$인 정수 k에 대하여 정사각형 ABCD의 둘레와 내부에 놓인 각 좌표가 정수인 점 중 $x = k$인 점의 개수는 $2n - 2|k| + 1$개다.

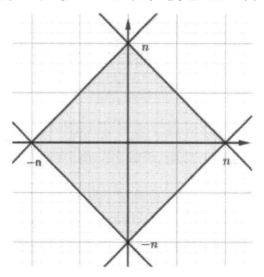

따라서 $N(n) = \displaystyle\sum_{k=-n}^{n} (2n - 2|k| + 1) = 2n + 1 + 2\sum_{k=1}^{n} (2n - 2k + 1) = 2n^2 + 2n + 1$**이고, 이로부**

터 $\displaystyle\sum_{k=1}^{n} N(k) = 2 \times \frac{n(n+1)(2n+1)}{6} + 2 \times \frac{n(n+1)}{2} + n$

이다. $n = 11$**인 경우 계산하면** 1155**이다.**

(3) $x + y + z = 20$을 만족하는 자연수의 순서쌍 $(x,\ y,\ z)$중 x는 홀수, y는 짝수, z는 소수인 해의 개수를 구하는 문제이므로 음이 아닌 정수 $s,\ t$에 대해 $x = 2s + 1$, $y = 2t + 2$로 쓸 수 있고 따라서 주어진 문제는 $(2s + 1) + (2t + 2) + z = 20$을 만족하는 음이 아닌 정수 $s,\ t$와 소수 z의 쌍의 개수를 구하면 된다. z은 17보다 작거나 같은 홀수인 소수이므로 $3,\ 5,\ 7,\ 11,\ 13,\ 17$중 하나이다.

$z = 3$**인 경우:** $s + t = 7$인 음이 아닌 정수해의 개수는 8개

$z = 5$**인 경우:** $s + t = 6$인 음이 아닌 정수해의 개수는 7개

$z = 7$**인 경우:** $s + t = 5$인 음이 아닌 정수해의 개수는 6개

$z = 11$**인 경우:** $s + t = 3$인 음이 아닌 정수해의 개수는 4개

$z = 13$**인 경우:** $s + t = 2$인 음이 아닌 정수해의 개수는 3개

$z = 17$**인 경우:** $s + t = 0$인 음이 아닌 정수해의 개수는 1개

따라서 구하는 수는 $8 + 7 + 6 + 4 + 3 + 1 = 29$**이다.**

8. 2021학년도 성신여대 모의 논술

<문제 1> 실수 a와 이차함수 $f(x) = x^2 - 2ax + 2a$에 대하여 구간 $1 \le x \le 2$에서의 $|f(x)|$의 최댓값을 $M(a)$라고 할 때, 다음 물음에 답하시오. [총25점]

(1) $a \leq 1$일 때, $M(a)$를 a에 대한 식으로 나타내시오. [5점]

(2) $1 < a$일 때, $M(a)$를 a에 대한 식으로 나타내시오. [12점]

(3) 10이상의 자연수 n에 대하여 $\displaystyle\sum_{k=1}^{n} M(k-7)$을 구하시오. [8점]

---

(1)

$y = f(x) = (x-a)^2 - a^2 + 2a$**의 그래프의 대칭축은** $x = a$**이고** $f(1) = 1$**이다.**

$a \leq 1$**일 때, 구간** $1 \leq x \leq 2$**에서** $f(x)$**는 증가함수이고**

$f(2) > f(1) = 1$**이므로,** $M(a) = |f(2)| = f(2) = 4 - 2a$**이다.**

(2)

$1 < a \leq \dfrac{3}{2}$**인 경우 : 구간** $1 \leq x \leq 2$**에서**

$f(1) = 1$, $f(a) = -a^2 + 2a = a(2-a) > 0$,

$f(2) = 4 - 2a \geq 4 - 2 \cdot \dfrac{3}{2} = 1$**이므로** $M(a) = |f(2)| = f(2) = 4 - 2a$**이다.**

$\dfrac{3}{2} < a \leq 2$**인 경우: 구간** $1 \leq x \leq 2$**에서**

$f(1) = 1$, $f(a) = -a^2 + 2a = a(2-a) > 0$,

$f(2) = 4 - 2a \leq 4 - 2 \cdot \dfrac{3}{2} = 1$**이므로** $M(a) = |f(1)| = 1$**이다.**

$2 < a \leq \dfrac{5}{2}$**인 경우: 구간** $1 \leq x \leq 2$**에서** $f(x)$**는 감소함수이고** $f(1) = 1$**이다.**

그리고 $f(2) = 4 - 2a$**에 대하여** $-1 \leq f(2) < 0$**이다.**

따라서 $M(a) = |f(1)| = 1$**이다.**

$\dfrac{5}{2} < a$**인 경우: 구간** $1 \leq x \leq 2$**에서** $f(x)$**는 감소함수이고** $f(1) = 1$**이다.**

그리고 $f(2) = 4 - 2a$**에 대하여** $f(2) < -1$**이다.**

따라서 $M(a) = |f(2)| = -f(2) = 2a - 4$**이다.**

(3)

$$\sum_{k=1}^{8} M(k-7) = \sum_{k=1}^{8} (18 - 2k)$$

$k = 9$**이면** $M(k-7) = M(2) = 1$

$$\sum_{k=10}^{n} M(k-7) = \sum_{k=10}^{n} (2k - 18)$$

$$\sum_{k=1}^{n} M(k-7) = \left(\sum_{k=1}^{8} (18 - 2k) \right) + 1 + \left(\sum_{k=10}^{n} (2k - 18) \right)$$

$$= 1 + 18 \cdot 8 - 18(n-9) - 2\sum_{k=1}^{8} k + 2\sum_{k=10}^{n} k$$

$$= 1+18\cdot8-18(n-9)-2\sum_{k=1}^{8}k+2\left(\sum_{k=1}^{n}k-\sum_{k=1}^{9}k\right)$$

$$= 1+18\cdot8-18(n-9)-2\cdot9-4\sum_{k=1}^{8}k+2\sum_{k=1}^{n}k$$

그러므로

$$\sum_{k=1}^{n}M(k-7)=1+18(8+9-1)-18n-4\cdot\frac{8\cdot9}{2}+2\cdot\frac{n(n+1)}{2}$$
$$=n^2-17n+145$$

<문제 2> 함수 $f(x)=\sqrt{x}$의 그래프 위의 두 점 $(a, f(a))$와 $(b, f(b))$를 지나는 직선과 같은 기울기를 가지는 접선의 접점의 x좌표를 c라고 할 때, 다음 물음에 답하시오. 단, $0<a<c<b$이다. [총25점]

(1) $b-a=h$로 두고, c를 a와 h에 대한 식으로 나타내시오. [8점]

(2) $\lim\limits_{b\to a}\dfrac{c-a}{b-a}$의 값을 구하시오. [7점]

(3) $b=4a$라고 하고, 구간 $[a, b]$와 곡선 $y=f(x)$사이의 넓이를 S, 네 점 $(a, 0), (c, 0)$ $(c, f(c))$, $(a, f(a))$를 꼭짓점으로 하는 사다리꼴의 넓이를 S_1, 네 점 $(c, 0), (b, 0)$, $(b, f(b))$, $(c, f(c))$를 꼭짓점으로 하는 사다리꼴의 넓이를 S_2라고 할 때, $S:(S_1+S_2)$를 정수의 비율로 나타내시오. [10점]

(1)

두 점 $(a, f(a))$, $(b, f(b))$을 지나는 직선의 기울기는 $\dfrac{f(b)-f(a)}{b-a}$이고,

$x=c$인 점에서의 접선의 기울기는 $f'(c)=\dfrac{1}{2\sqrt{c}}$이다.

따라서 $b-a=h$라 하면

$$\frac{f(b)-f(a)}{b-a}=\frac{\sqrt{a+h}-\sqrt{a}}{h}=f'(c)=\frac{1}{2\sqrt{c}}$$

이다.

$\sqrt{c}=\dfrac{h}{2(\sqrt{a+h}-\sqrt{a})}=\dfrac{1}{2}(\sqrt{a+h}+\sqrt{a})$이므로 양변을 제곱하면

$c=\dfrac{1}{4}\left(2a+h+2\sqrt{a^2+ah}\right)$이다.

(2)

$c-a=\dfrac{1}{4}\left(-2a+h+2\sqrt{a^2+ah}\right)$이므로

$$\lim_{b\to a}\frac{c-a}{b-a}=\lim_{h\to0}\frac{2\sqrt{a^2+ah}-(2a-h)}{4h}$$

132

$$= \lim_{h \to 0} \frac{4(a^2 + ah) - (2a - h)^2}{4h\left(2\sqrt{a^2 + ah} + (2a - h)\right)}$$

$$= \lim_{h \to 0} \frac{8a - h}{4\left(2\sqrt{a^2 + ah} + (2a - h)\right)} = \frac{1}{2}$$

(3)

$$c = \frac{1}{4}\left(2a + 3a + 2\sqrt{a^2 + 3a^2}\right) = \frac{1}{4}(5a + 4a) = \frac{9}{4}a$$

$$S = \int_a^{4a} \sqrt{x}\,dx = \left[\frac{2}{3}x\sqrt{x}\right]_a^{4a} = \frac{2}{3}(8 - 1)a\sqrt{a} = \frac{14}{3}a\sqrt{a}$$

$$S_1 = \frac{f(a) + f(c)}{2} \cdot (c - a) = \frac{\sqrt{a} + \frac{3}{2}\sqrt{a}}{2} \cdot \left(\frac{9}{4}a - a\right)$$

$$= \frac{5}{4}\sqrt{a} \cdot \frac{5}{4}a = \frac{25}{16}a\sqrt{a}$$

$$S_2 = \frac{f(c) + f(b)}{2} \cdot (b - c) = \frac{\frac{3}{2}\sqrt{a} + 2\sqrt{a}}{2} \cdot \left(4a - \frac{9}{4}a\right)$$

$$= \frac{7}{4}\sqrt{a} \cdot \frac{7}{4}a = \frac{49}{16}a\sqrt{a}$$

$$\therefore \ S_1 + S_2 = \left(\frac{25}{16} + \frac{49}{16}\right)a\sqrt{a} = \frac{74}{16}a\sqrt{a}$$

따라서 $S : (S_1 + S_2) = \frac{14}{3} : \frac{74}{16} = 224 : 222$ **또는** $112 : 111$**이다.**

<문제 3> 반지름의 길이가 1인 원에 내접하는 정육각형의 꼭짓점을 그림과 같이 반시계 방향으로 A_0, B_0, C_0, D_0, E_0, F_0라 하자. 그리고 그림과 같이 $\overline{A_0C_0}$와 $\overline{B_0D_0}$의 교점을 A_1, $\overline{B_0D_0}$과 $\overline{C_0E_0}$의 교점을 B_1, $\overline{C_0E_0}$와 $\overline{D_0F_0}$의 교점을 C_1, $\overline{D_0F_0}$와 $\overline{E_0A_0}$의 교점을 D_1, $\overline{E_0A_0}$와 $\overline{F_0B_0}$의 교점을 E_1, $\overline{F_0B_0}$와 $\overline{A_0C_0}$의 교점을 F_1이라 하자. [총25점]

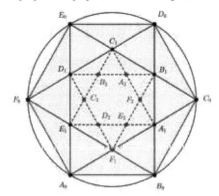

(1) $\overline{A_0B_0}$, $\overline{A_0C_0}$, $\overline{A_0D_0}$의 길이와 삼각형 $A_0C_0E_0$의 넓이를 각각 구하시오. [7점]

(2) 정육각형 $A_0B_0C_0D_0E_0F_0$의 넓이와 정육각형 $A_1B_1C_1D_1E_1F_1$의 넓이의 차를 구하시오. [8점]

(3) 자연수 n에 대하여 위의 과정을 n번 반복하여 얻어지는 정육각형의 꼭짓점을 위의 그림과 같이 순서대로 각각 A_n, B_n, C_n, D_n, E_n, F_n이라 할 때, $\lim\limits_{n \to \infty} \sum\limits_{k=0}^{n} \overline{A_k A_{k+1}}$을 구하시오. [10점]

---

(1)

반지름이 1인 원의 중심을 O라 하면 삼각형 $OA_0 B_0$는 정삼각형이므로 선분 $A_0 B_0$의 길이는 1이다

삼각형 $A_0 C_0 D_0$는 $A_0 D_0$가 주어진 원의 지름이므로 각 $A_0 C_0 D_0$가 직각이고 빗변 $A_0 D_0$의 길이가 2, 선분 $C_0 D_0$의 길이는 1인 직각삼각형이다.

따라서 피타고라스 정리에 의하여 선분 $A_0 C_0$의 길이는 $\sqrt{3}$이다.

삼각형 $A_0 C_0 E_0$는 한 변의 길이가 $\sqrt{3}$인 정삼각형이므로 면적은

$$\frac{1}{2}(\sqrt{3})^2 \sin\left(\frac{\pi}{3}\right) = \frac{3\sqrt{3}}{4}$$

이다.

(2)

정육각형 $A_0 B_0 C_0 D_0 E_0 F_0$의 한 변의 길이는 1이다.

정육각형 $A_0 B_0 C_0 D_0 E_0 F_0$에는 한 변의 길이가 1인 합동인 정삼각형이 6개 있으므로 면적은

$$6 \times \frac{1}{2}\sin\left(\frac{\pi}{3}\right) = \frac{3\sqrt{3}}{2}$$

이다.

정육각형 $A_1 B_1 C_1 D_1 E_1 F_1$의 한 변의 길이는 $\dfrac{\sqrt{3}}{3}$이므로

정육각형 $A_1 B_1 C_1 D_1 E_1 F_1$의 면적은 $6 \times \dfrac{\sqrt{3}}{4}\left(\dfrac{\sqrt{3}}{3}\right)^2 = \dfrac{\sqrt{3}}{2}$이다.

따라서 면적의 차는 $\sqrt{3}$이다.

(3)

$\overline{A_1 B_1} = \dfrac{1}{3}\overline{A_0 C_0} = \dfrac{\sqrt{3}}{3}$이고 $\overline{A_0 A_1} = \dfrac{2}{3}\overline{A_0 C_0} = \dfrac{2\sqrt{3}}{3}$이다.

이런 작업을 반복하면

$$\overline{A_k C_k} = \sqrt{3} \times \overline{A_k B_k}, \quad \overline{A_k B_k} = \frac{1}{3}\overline{A_{k-1} C_{k-1}}, \quad \overline{A_k A_{k+1}} = \frac{2}{3}\overline{A_k C_k}$$

로부터

$$\overline{A_k A_{k+1}} = \frac{2}{3}\overline{A_k C_k} = \frac{2\sqrt{3}}{3}\overline{A_k B_k} = \frac{2\sqrt{3}}{9}\overline{A_{k-1} C_{k-1}} = \frac{\sqrt{3}}{3}\overline{A_{k-1} A_k}$$

이므로 $\overline{A_k A_{k+1}} = 2\dfrac{1}{\sqrt{3}^{k+1}}$, $(k \geq 0)$이다.

따라서

$$\sum_{k=0}^{n}\overline{A_kA_{k+1}}=\sum_{k=0}^{n}\frac{2}{\sqrt{3}^{\,k+1}}=\frac{\dfrac{2\sqrt{3}}{3}\left(1-\left(\dfrac{1}{\sqrt{3}}\right)^{n+1}\right)}{1-\dfrac{1}{\sqrt{3}}}=\frac{2\left(1-\left(\dfrac{1}{\sqrt{3}}\right)^{n+1}\right)}{\sqrt{3}-1}$$

이고

이로부터 $\displaystyle\lim_{n\to\infty}\sum_{k=0}^{n}\overline{A_kA_{k+1}}=\sqrt{3}+1$**이다.**

<문제 4> 자연수 n에 대하여 $A(0,\,0)$, $B(n,\,0)$, $C(n,\,n)$, $D(0,\,n)$을 꼭짓점으로 갖는 정사각형 ABCD의 네 변과 $1\le k\le n-1$을 만족하는 자연수 k에 대하여 점 $(0,\,k)$와 점 $(n,\,k)$를 연결하는 x축에 평행한 $(n-1)$개의 선분, 점 $(k,\,0)$과 점 $(k,\,n-k)$를 연결하는 y축에 평행한 $(n-1)$개의 선분을 추가하여 오른쪽 그림과 같은 도로망을 만들었다. (그림은 $n=6$인 경우의 예시임) [총25점]

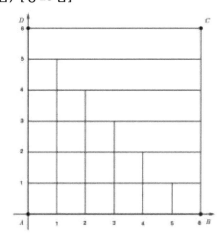

(1) 자연수 n에 대하여 A에서 C로 가는 최단 경로의 수를 n에 대한 식으로 표현하시오. [8점]

(2) 주어진 도로망에 놓여 있는 한 변의 길이가 k인 정사각형의 개수를 a_k라 할 때, 위의 그림과 같이 $n=6$인 경우 $1\le k\le 6$인 자연수 k에 대해 a_k를 각각 구하시오. [5점]

(3) 주어진 자연수 n에 대해 $\displaystyle\sum_{k=1}^{n}a_k$를 n에 대한 식으로 표현하시오. [12점]

(1)
A에서 C로 가는 경로는 $(0,\,n)$, $(1,\,n-1)$, $\cdots$, $(n-1,\,1)$, $(n,\,0)$ 중 한 점을 반드시 지나고 꼭 한번 지난다.
$0\le k\le n$을 만족하는 정수 k에 대해 A에서 출발하여 점 $(k,\,n-k)$를 지나서 C로 가는 최단 경로의 수는 $_nC_k$이므로 구하는 최단 경로의 수는 합의 법칙에 의하여

$$\sum_{k=0}^{n}{}_nC_k$$

이고

이항정리

$$(1+x)^n = \sum_{k=0}^{n} {}_n C_k x^k$$

를 사용하여 이 값을 계산하면 2^n이다.

(2)

$$a_1 = (1+2+3+4+5)+1 = 16$$
$$a_2 = (1+2+3)+1 = 7$$
$$a_3 = 1+1 = 2$$
$$a_4 = 1$$
$$a_5 = 1$$
$$a_6 = 1$$

(3)

n이 짝수인 경우와 홀수인 경우로 나누어 생각하자.

경우 1.

n이 짝수인 경우 $n = 2m$이라 두자.

그러면 $1 \le k \le m$인 자연수 k에 대해

$$a_k = (1+2+\cdots+(n-2k+1))+1 = \frac{(n-2k+1)(n-2k+2)}{2}+1$$

이고

$m+1 \le k \le n$인 자연수 k대해 $a_k = 1$이다.

따라서

$$\sum_{k=1}^{n} a_k = \sum_{k=1}^{m} \frac{(2k-1)(2k)}{2}+n = \frac{m(m+1)(4m-1)}{6}+n = \frac{n(n+2)(2n-1)}{24}+n$$

경우 2.

n이 홀수인 경우 $n = 2m+1$이라 두자.

그러면 $1 \le k \le m$인 자연수 k에 대해

$$a_k = (1+2+\cdots+(n-2k+2))+1 = \frac{(n-2k+2)(n-2k+3)}{2}+1$$

이고

$m+1 \le k \le n$인 자연수 k에 대해 $a_k = 1$이다.

따라서

$$\sum_{k=1}^{n} a_k = \sum_{k=1}^{m} \frac{(2k)(2k+1)}{2}+n = \frac{m(m+1)(2m+1)}{3}+\frac{m(m+1)}{2}+n = \frac{m(m+1)(4m+5)}{6}+n$$

이고 이를 정리하면 $\dfrac{(n-1)(n+1)(2n+3)}{24}+n$이다.

136